CRW 1

Collection Soleil

ROMAIN GARY

CHIEN BLANC

GALLIMARD

A Sandy.

PREMIÈRE PARTIE

I

C'était un chien gris avec une verrue comme un grain de beauté sur le côté droit du museau et du poil roussi autour de la truffe, ce qui le faisait ressembler au fumeur invétéré sur l'enseigne du *Chien-qui-fume*, un bar-tabac à Nice, non loin du lycée de mon enfance.

Il m'observait, la tête légèrement penchée de côté, d'un regard intense et fixe, ce regard des chiens de fourrière qui vous guettent au passage avec un espoir angoissé et insupportable. Il avait un poitrail de lutteur et, bien des fois, plus tard, lorsque mon vieux Sandy le taquinait, je le vis refouler l'importun par la seule puissance de son thorax, comme un bulldozer.

C'était un berger allemand.

Il entra dans mon existence le 17 février 1968 à Beverly Hills, où je venais de rejoindre ma femme Jean Seberg, pendant le tournage d'un film. Ce jour-là, une averse démesurée comme le sont la plupart des phénomènes naturels en Amérique lorsqu'ils s'y mettent, s'était abattue sur Los Angeles, transformé en quelques minutes en une cité lacustre où les Cadillac déchues rampaient piteusement, écrasant l'eau; la ville avait pris cet aspect incongru des choses destinées à un tout autre usage, auquel nous ont habitués depuis longtemps les surréalistes. J'étais inquiet pour mon chien Sandy, qui était parti la veille pour une tournée de célibataire du côté de Sunset Strip et n'était pas encore rentré. Sandy était demeuré puceau jusqu'à l'âge de quatre ans, grâce à l'influence de notre milieu familial hautement moral, mais une garce de Doheny Drive lui avait fait perdre la tête. Quatre ans d'éducation bourgeoise et de principes exemplaires étaient passés par la fenêtre en deux coups de cuiller à pot. Ce chien est une nature simple, crédule, fort mal armée pour affronter les milieux de cinéma de Hollywood.

Nous avions amené de Paris toute notre ménagerie habituelle. Il y avait un chat birman, Bruno, et sa compagne siamoise, Maï; en réalité, Maï était un mâle, mais je ne sais trop pourquoi, nous l'avions toujours considéré comme une fille, sans doute à cause des trésors de tendresse câline qu'il nous prodiguait. Il y avait encore une vieille chatte de gouttière, Bippo, misanthrope et sauvage, qui vous allongeait un coup de griffe dès qu'on essayait de la caresser; un toucan, Billy-Billy, que nous avions adopté en Colombie, et je venais d'offrir au zoo privé de Jack Carruthers, dans San Fernando Valley, un magnifique python de sept mètres, surnommé Pete l'Étrangleur, que j'avais rencontré sur mon chemin dans la brousse colombienne, en même temps que le toucan. J'avais dû me séparer de Pete parce que mes amis refusaient de s'occuper de lui lorsque, pris d'une de ces bougeottes d'homme à qui la peau dans laquelle il est enfermé donne des crises de claustrophobie, je me mets brusquement à courir d'un continent à l'autre, à la recherche de quelqu'un ou de quelque chose de différent, je ne sais trop quoi. Il vaut peut-être mieux que je précise tout de suite que je n'ai jamais rien trouvé d'*autre* dans mes courses-poursuites, sauf des cigares assez extraordinaires à Madras, une des grandes et belles surprises de ma vie.

De temps en temps, j'allais rendre visite à mon python. J'entrais dans l'enclos spécial que Jack Carruthers lui réservait par égard pour les écrivains, je m'installais, les jambes croisées, en face de lui et nous nous regardions longuement avec un étonnement, une stupéfaction sans bornes, incapables chacun de donner la moindre explication sur ce qui nous arrivait et de faire bénéficier l'autre de quelque éclair de compréhension tiré de nos expériences respectives. Se trouver dans la peau d'un python ou dans celle d'un homme était un avatar tellement ahurissant que cet effarement partagé devenait une véritable fraternité.

Parfois Pete se mettait en triangle — les pythons ne se roulent pas en boule, ils se mettent en équerre; j'avais alors l'impression qu'il me faisait ainsi un signe que je devais interpréter. Depuis, j'appris que la position en équerre est pour le python une position de défense, en présence d'un danger, et je sus ainsi que Pete l'Étrangleur et moi avions vraiment une chose en commun : une extrême prudence dans les rapports humains.

Vers midi, alors que des torrents d'eau déferlaient dans les avenues, j'entendis un bel aboiement de baryton que je connaissais bien et j'allai ouvrir la porte. Sandy est un grand chien jaune, probablement descendant très indirect de quelque lointain danois, mais, sous l'effet de l'averse et de la boue, son pelage avait pris une couleur de chocolat écrasé. Il se tenait à la porte, la queue basse, le museau au ras du sol, mimant la culpabilité, la honte et le retour du fils prodigue avec un parfait talent de faux jeton. Je lui avais dit je ne sais combien de fois de ne pas traîner dehors la nuit; après l'avoir menacé du doigt et avoir prononcé à plusieurs reprises les mots *bad dog*, je m'apprêtais à jouir pleinement de mon rôle de seigneur et maître adoré et craint, détenteur d'une autorité absolue, lorsque mon clébard tourna discrètement la tête pour m'indiquer que nous n'étions pas seuls. Il avait en effet ramené un copain de rencontre. C'était un berger allemand grisonnant, âgé de six ou sept ans environ, une belle bête qui donnait une impression de force et d'intelligence. Je remarquai qu'il n'avait pas de collier, ce qui était rare pour un chien de race.

Je fis entrer mon salopard, mais le berger allemand ne partait pas, et il pleuvait si dur que son poil mouillé et collé le faisait ressembler à un phoque. Il remuait la queue, les oreilles dressées, l'œil pétillant, vif, avec cette attention intense des chiens qui guettent un geste familier ou un ordre. Il attendait clairement une invitation, revendiquant ce droit d'asile qui est inscrit depuis toujours dans les rapports des hommes avec leurs compagnons d'infortune. Je le priai d'entrer.

Il est assez facile de se faire une idée du caractère d'un chien, sauf avec les dobermans, chez qui j'ai toujours trouvé des réactions imprévisibles. Le grison me frappa immédiatement par sa bonne disposition. Du reste, tous ceux qui ont vécu parmi les chiens savent que lorsqu'une bête manifeste de l'amitié à une autre, on peut presque toujours se fier à son jugement. Mon Sandy était de tempérament très doux, et la sympathie qu'il offrait spontanément à ce colosse sauvé de l'averse était pour moi la meilleure des recommandations. Je téléphonai à la S.P.A. pour la prévenir que j'avais recueilli un berger allemand errant, en donnant mon numéro de téléphone, au cas où son maître se manifesterait, et fus soulagé de constater que mon invité traitait mes chats avec les plus grands égards, et que c'était une bête de bonne compagnie.

Au cours des jours qui suivirent, je reçus de nombreuses visites, et le berger, que j'avais surnommé Batka — ce qui veut dire petit père, ou pépère, en russe —, eut beaucoup de succès auprès de mes amis, passé le premier moment d'appréhension. En dehors de son poitrail de catcheur et de sa grande gueule noire, Batka avait en effet des crocs qui ressemblaient aux cornes de ces petits taureaux que l'on appelle au Mexique *machos*. Il était pourtant d'une grande douceur; il reniflait les visiteurs pour mieux les identifier ensuite et, dès la première caresse, *shook hands*, leur offrant la patte comme pour leur dire : « Je sais bien que j'ai l'air terrible, mais je suis un très brave type.» Du moins, c'est ainsi que j'interprétais les efforts qu'il faisait pour rassurer mes invités, mais il va sans dire qu'un romancier se trompe plus facilement qu'un autre sur la nature des êtres et des choses, parce qu'il les *imagine*. Je me suis toujours imaginé tous ceux que je rencontrais dans ma vie ou qui ont vécu près de moi. Pour un professionnel de l'imagination, c'est plus facile et cela vous évite de vous fatiguer. Vous ne perdez plus votre temps à essayer de connaître vos proches, à vous pencher sur eux, à leur prêter vraiment attention. *Vous les inventez.* Après, lorsque vous avez une surprise, vous leur en voulez terriblement : ils vous ont déçu. En somme, ils n'étaient pas dignes de votre talent.

Personne ne réclama le chien, et je le voyais déjà devenant membre attitré de ma famille.

La maison que j'occupais dans Arden avait naturellement une piscine, et la compagnie d'entretien m'envoyait deux fois par mois un employé pour la vérification de l'appareil de filtrage. Un après-midi, alors que j'écrivais, j'entendis soudain du côté de la piscine un long rugissement, suivi de ces aboiements saccadés, rapides et rageurs par lesquels les chiens signalent à la fois la présence d'un intrus et l'imminence du combat qu'ils entendent lui livrer dans la seconde qui va suivre. Ce n'est souvent qu'un équivalent canin de notre « Retenez-moi ou je vais faire un malheur », mais, chez les vrais chiens de garde bien dressés, ce n'est pas de la frime. Je ne sais rien de plus énervant que ces déchaînements soudains et furibonds dont le but est de vous immobiliser sur place, en attendant mieux. Je courus dans le patio.

De l'autre côté de la grille se tenait un employé noir venu contrôler le filtre de la piscine, et Batka se jetait contre le portail, l'écume à la gueule, dans un paroxysme de haine à ce point effrayant que mon brave Sandy avait rampé en geignant sous un buisson et s'était transformé en descente de lit.

Le Noir se tenait complètement immobile, paralysé par la peur. Il y avait de quoi. Mon berger bonasse, toujours si aimable avec nos visiteurs, s'était mué en une Furie animale, retrouvant au fond de sa gorge des hurlements de fauve affamé qui voit la viande mais ne peut l'atteindre.

Il y a quelque chose de profondément démoralisant, troublant, dans ces brusques transformations d'une bête paisible et que vous croyez connaître en une créature féroce et comme entièrement *autre*. C'est un véritable changement de nature, presque de dimension, un de ces moments pénibles où vos petits rangements rassurants et catégories familières volent en éclats. Expérience décourageante pour les amateurs de certitudes. Je me trouvais soudain confronté avec l'image d'une brutalité première, tapie au sein de la nature et dont on préfère oublier la présence souterraine entre deux manifestations meurtrières. Ce qu'on appelait jadis l'humanitarisme s'est toujours trouvé pris dans ce dilemme, entre l'amour des chiens et l'horreur de la chiennerie.

J'essayais de tirer Batka et de le faire rentrer à la maison, mais il avait vraiment le sens du devoir, ce salaud-là. Il ne me mordait pas, mais mes mains étaient couvertes de bave, et il s'arrachait à mon étreinte et se ruait sur le portail, les crocs à nu.

Le Noir se tenait de l'autre côté, ses outils à la main. C'était un jeune homme. Je me souviens très bien de son expression, parce que c'était la première fois que je voyais un Noir face à la haine bestiale. Il avait cet air triste que prennent certains visages d'hommes qui ont peur. Pendant la guerre, j'ai souvent vu cette expression sur les traits de mes camarades d'escadrille. Je me souviens que la veille d'une mission en rase-mottes, qui s'annonçait particulièrement dangereuse, le colonel Fourquet m'avait dit : « Vous avez l'air bien triste, Gary. » J'avais peur.

J'ai dit au jeune homme de partir, renonçant à faire nettoyer ma piscine cette semaine-là.

Le lendemain matin, la même scène se reproduisait avec un employé de la Western Union qui m'apportait un télégramme.

L'après-midi, quelques amis vinrent nous voir et, malgré mon inquiétude, Batka les accueillit avec la plus grande amabilité. C'étaient des Blancs.

Je me rappelai alors que l'employé de la Western Union était également un Noir.

II

Je commençais à éprouver ce malaise bien connu de tous ceux qui sentent grandir autour d'eux une vérité pénible, de plus en plus évidente, mais qu'ils refusent d'admettre. Une coïncidence, me disais-je. Je me fais des idées. Je suis obsédé par le « problème ».

Mon malaise devint un véritable désarroi lorsque le livreur d'un supermarché faillit se faire égorger par Batka. Au moment où j'ouvrais la porte, Batka était couché au milieu de la pièce, et d'un seul coup, dans ce silence prémédité et sournois qui recherche la surprise dans l'attaque, il avait sauté à la gorge de l'homme. Il s'en était fallu d'une seconde : j'avais tout juste eu le temps de refermer la porte d'un coup de genou.

Le livreur était un Noir.

Le jour même, j'embarquai la bête dans ma voiture et la conduisis dans le zoo de Jack Carruthers, le « Noah's Ranch », dans San Fernando Valley. Je connaissais bien Jack Carruthers, un ancien cow boy de l'écran, spécialisé depuis longtemps dans le dressage des animaux pour le cinéma. Son ranch s'enorgueillit entre autres d'une fosse à serpents où vous pouvez trouver les reptiles venimeux les plus représentatifs de l'Amérique. Jack et ses assistants extraient le venin nécessaire à la préparation des sérums. La fosse aux serpents est un endroit que j'évite soigneusement, lorsque je me rends au ranch : en regardant ce qui y grouille, on a l'impression de contempler le fameux subconscient collectif de Jung, ce subconscient de l'espèce dans laquelle nous tombons en naissant, et c'est un spectacle assez déprimant.

Jack était assis derrière son bureau, vêtu de sa salopette bleue, son éternelle casquette de base-ball sur la tête. C'est un homme grand, de cet aspect rassis et tassé que prennent souvent en vieillissant les hommes qui perdent un peu de leur élasticité musculaire tout en conservant leurs forces; il avait été cascadeur dans les westerns et la plupart de ses membres en avait subi les conséquences. Il portait toujours des bandes de cuir autour des poignets, et sur l'avant-bras droit, il avait fait tatouer une tête de cheval.

Il m'écouta en silence, mâchonnant un de ces infâmes cigares auxquels l'Amérique s'est condamnée en rompant avec la Havane.

— Qu'est-ce que vous voulez que j'y fasse?

— Guérir l'animal...

« Noah » Jack Carruthers est ce qu'on appelle un homme tranquille, de cette tranquillité un peu ironique qui provient d'une force intérieure trop sûre d'elle-même pour avoir à se manifester par des airs de dur. Seule l'immobilité curieusement soutenue de ce corps massif, ramassé, suggère peut-être une certaine agressivité surmontée, une sorte d'abstention physique délibérée. Mais c'est là une réflexion d'homme habitué à se tenir soigneusement en laisse lui-même : je me suis résigné à admettre une fois pour toutes le fait que je ne parviens pas à civiliser entièrement l'animal intérieur que je traîne partout en moi, comme tant d'automobilistes au volant de l'instrument de leur puissance. En tout cas, tout le monde aime Jack, à Hollywood, malgré sa froideur, parce que c'est un homme qui comprend que le canari que vous lui confiez n'est pas remplaçable par n'importe quel autre canari et qu'un monsieur qui vient de mettre en pension son boa constrictor en suppliant d'en prendre le plus grand soin se sépare d'un être aimé — aimé peut-être parce que le boa est ce qu'il a trouvé de plus différent de lui-même.

— Guérir ?

Jack m'observe de son regard glaçon bleu pâle.

— Guérir de quoi ?

— Ce chien a été dressé spécialement pour attaquer les Noirs. Je vous jure que je ne me fais pas des idées. Chaque fois qu'un nègre s'approche de la porte, il devient enragé. Les Blancs, rien, il remue la queue et donne la patte.

— Bon, et alors ?

— Comment, et alors ? Ça se soigne, non ?

— Non. Votre chien est trop vieux.

Une petite étincelle moqueuse s'éveille dans son regard.

— Pour cette génération-là, c'est foutu. Vous devriez le savoir.

— Jack, tout le monde sait que vous avez fait des miracles avec des bêtes dites vicieuses.

— C'est une question d'âge. Les plis anciens, trop profondément marqués... Rien à faire. Du reste, la plupart des bêtes « vicieuses » sont des bêtes viciées. Délibérément déformées par des années de dressage. Systématiquement *avariées*. Votre clébard est trop vieux.

— C'est une affaire de patience.

— C'est trop tard. Il doit avoir dans les sept ans. Il est irrécupérable. On ne peut pas le changer. Il a pris le pli en profondeur. C'est ce qu'on appelle la déformation professionnelle.

— On ne peut pas le laisser comme ça.

— Bon, faites-le piquer. C'est ce que je ferais à votre place.

— Il me semble que ce sont les salauds qui l'ont dressé qui devraient plutôt être piqués...

Jack se met à rire. C'est un de ces veinards qui sont capables de se débarrasser du monde entier dans un ha-ha-ha.

— Je ne suis même pas sûr de pouvoir garder votre toutou chez moi. J'ai deux aides noirs. Ils n'aimeront pas ça. Enfin, laissez-le pour le moment, on verra bien.

Je prends congé de Batka. Il m'observe avec une attention extrême, les oreilles dressées, la tête légèrement penchée de côté. Je reviens auprès de lui, m'assieds par terre, caresse longuement la tête grise. A bientôt, petit père. T'en fais pas. On les aura.

Je roule à travers Coldwater Canyon avec, dans le cœur, assez de pierres pour bâtir encore quelques beaux lieux de prière. Les grandes avenues sans trottoirs bordées de palmiers sont désertes, seules les autos sont habitées. Je tourne en rond dans ce vide motorisé, revenant toujours vers Wilshire Boulevard, où il y a des trottoirs. Les trottoirs, ici, ce sont des oasis.

Je finis par échouer chez un ami dont les jours sont comptés, après trois opérations. C'est un ancien « purgé » de Mc Carthy, des années 1952, qu'on empêcha de travailler pendant dix ans, au moment de la chasse aux sorcières « subversives ». Je le trouve en train de bâtir une ville imaginaire avec une collection de *Do It Yourself Kits*. Ça fait deux ans qu'il la construit, sa putain de cité radieuse, et ne s'interrompt que pour écrire à la hâte un scénario de science-fiction pour la télé, dont il est devenu un des pourvoyeurs attitrés. Mais c'est à sa ville idéale que vont tous ses vrais efforts créateurs. Il la fait et la défait, la fignole, remet ça, dans un hangar au fond du jardin, derrière la piscine — c'est un mélange de plastique et d'acier avec un rêve déchirant, un besoin de beauté et de perfection plus fort que la maladie qui le mine. Je m'attelle à sa Maison de la Culture avec vue sur la mer, mais au bout d'une demi-heure, j'en ai assez et je le laisse se masturber tout seul.

Dans l'auto, la radio annonce des bagarres raciales à Detroit. Deux morts. Depuis la révolte de Watts, qui avait fait trente-deux morts, la pensée qui hante le pays est que l'Amérique n'a jamais établi de record sans réussir à le battre à plus ou moins brève échéance.

Lorsqu'il s'agit des hommes, on peut à la rigueur se consoler avec Shakespeare, avec la médecine, ou avec la trace de nos semelles sur la lune. Mais lorsqu'il s'agit d'un chien, il n'y a pas d'alibi possible. Chaque fois que je venais retrouver Batka dans sa cage, je croyais voir dans son regard une interpellation muette : « Qu'est-ce que j'ai fait, pourquoi suis-je enfermé dans une cage, pourquoi ne veux-tu plus de moi ? » Il n'y avait aucune réponse concevable devant cette innocence foncière, en dehors d'une caresse rassurante. En sortant de là, j'étais pris d'une véritable haine envers moi-même et, pour reprendre la phrase célèbre de Victor Hugo, dont j'avais pendant longtemps en vain cherché la référence, jusqu'à ce que M. Hélou, aujourd'hui président du · Liban, me l'ait donnée : « Lorsque je dis *je*, c'est de vous tous que je parle, malheureux. »

Tous les jours, je me rends au chenil.

J'ai envie de voir ce que je deviens.

Il est sept heures du matin. A part le gardien de nuit et les bêtes, l'arche de Noé est vide. Les fleurs et les feuilles bercent dans la brise matinale des gouttes de rosée lourdes comme des fruits de l'aube.

La girafe du docteur Doolittle m'observe de ses yeux si féminins entre ses cils lourds, que lui envieraient ces dames de chez Elizabeth Arden. Batka se dresse sur ses pattes de derrière, il s'appuie contre le grillage, il m'a senti venir de loin. J'appuie ma joue contre le filet de fer, je sens la truffe froide, la langue chaude. Il n'est pas difficile de reconnaître dans les yeux d'un chien une expression d'amour, et je pense à ma mère à cause de cette fidélité du chien et de l'amour. Mais ma mère avait des yeux verts. Je pense aussi à une admirable ineptie, exprimée par un excellent romancier de mes amis, sur ce ton que l'on qualifie si bien en anglais de *supercilious*, mélange de supériorité, de « petite bouche » et de dandysme psychologique : « Je n'aime pas les chiens, m'avait-il dit, parce que je n'aime pas la qualité d'affection soumise qu'ils vous offrent. » C'est tout de même curieux, où la dignité va se fourrer.

Je n'avais pas la clef. Je m'accroupis à l'extérieur de la cage et Batka se couche de l'autre côté, le museau posé sur ses pattes allongées, ne me quittant pas des yeux.

Il y avait, dans le ciel, cette clarté limpide de la Californie à l'aube, avant la sortie des millions de véhicules et la mise en marche des usines, lorsque la pollution jettera sur la ville sa pourriture opaque.

Je pensais repartir sans être vu. Je n'avais rien à dire

à personne. Mais j'avais perdu toute notion du temps, comme c'est souvent le cas lorsque les moments qui passent sont paisibles et que vous vous mettez à vivre un peu hors de vous, avec la lumière, les arbres et la douceur de l'air.

Il devait être environ dix heures lorsque je vis venir le gardien noir que je connaissais sous le nom de Keys, comme tout le monde au zoo, un surnom qui lui venait des trousseaux de clefs qu'il portait autour de sa taille et qui en faisait le « maître des clefs » de toutes les cages aux lions, fosses aux serpents, bassins aux alligators, maisons des singes, et autres recoins de l'arche de « Noah » Jack Carruthers. Il était à une dizaine de mètres de nous lorsque Batka dressa les oreilles, se figea un instant, puis se leva d'un bond et se jeta en hurlant contre le grillage. Je reçus des gouttes de bave dans la figure. En dehors même de l'image instantanément matérialisée des esclaves en fuite et de ces champs de coton avec leurs semailles dont l'Amérique n'a pas fini de faire la tragique moisson, il y avait aussi, une fois de plus, ce bouleversement soudain du familier, cette transformation instantanée d'une nature amicale en hostilité sauvage...

Keys passa à côté de la cage, sans un regard au chien, souriant, le visage ensoleillé — grand garçon mince en chemisette à manches courtes, une petite moustache posée sur la lèvre comme un papillon. Une vague ressemblance avec Malcolm X. Mais je crois toujours voir une trace de ce lutteur sur tous les visages nègres.

— *Hello*, me lance-t-il. Belle journée.

— *Hello*.

J'étais assis par terre, évitant son regard, cependant que Batka se ruait contre le grillage avec des hurlements étranglés qui s'interrompaient soudain, pendant que la bête, la gueule tournée d'un côté, les yeux d'un autre, louchait vers Keys, les dents découvertes, puis se jetait à nouveau contre le grillage, lançant des appels à une sanglante curée. Le Noir souriait.

Je dis :

— *No progress.*

Keys regarda le chien. Il prit un paquet de Chesterfield dans la poche de ses denims, fit sortir une cigarette à petits coups de doigts. Il l'alluma et regarda le chien encore une fois, calmement. Il dit :

— *White dog.* Chien blanc.

Je me souviens de l'irritation qui s'empara de moi. C'était vraiment un peu trop facile.

— Ça va, dis-je. Ce n'est pas drôle.

Il m'observa un instant.

— *White dog*, répéta-t-il. Vous connaissez ?

Ses yeux continuaient à me fouiller, comme si j'avais caché dans mes poches deux ou trois siècles d'histoire.

— Non, vous ne connaissez pas, bien entendu. C'est un chien blanc. Il vient du Sud. On appelle là-bas « chiens blancs » les toutous spécialement dressés pour aider la police contre les Noirs. Un dressage tout ce qu'il y a de plus soigné.

J'étais en train de crever, intérieurement. Parce que c'était moi qui l'avais dressé ce chien. La phrase fameuse de Victor Hugo a une réciproque : « Quand je dis *vous*, c'est aussi de *moi* que je parle. » Il y a une jolie chanson : *Tea for two, and two for tea*, et on peut en faire une autre : « Moi, c'est vous, et vous, c'est moi. » Même que ça a un titre : la fraternité. Pas moyen de ne pas en être. Il n'y a pas de sortie de secours.

La Mongolie extérieure, pensai-je. C'est par là que je

voudrais me tirer. C'est naturellement le mot *extérieur* qui me plaît.

— Jadis, on les dressait pour traquer les esclaves évadés. Maintenant, c'est contre les manifestants...

Le chien s'étranglait. Moi aussi, en silence.

— Et puis, avec un chien de garde comme ça, votre épouse blanche peut dormir sur ses deux oreilles quand vous n'êtes pas là. Personne ne viendra la violer.

Keys se tourna vers Batka, en tirant sur sa cigarette. Il l'observa un moment d'un air de connaisseur.

— Un beau chien, dit-il.

Il hocha la tête.

— Mais il est déjà vieux. Dans les sept ans. On ne peut plus les changer à cet âge-là...

Il garda un long silence, sans quitter la bête du regard. Il réfléchissait. Aujourd'hui, je crois que c'est à ce moment-là qu'il eut sa petite idée, et que c'est son plan en train de s'ébaucher qu'il cachait sous cet air songeur.

— *Be seeing you*, me dit-il. A bientôt.

Il s'éloigna lentement, les clefs s'entrechoquant autour de sa ceinture.

Batka se calma aussitôt pour s'occuper d'une puce.

J'allai dans le bureau de Jack, mais il n'y avait personne. Jack était dans un studio, occupé à surveiller son chimpanzé vedette qui tournait pour la télévision une version singe de *Roméo et Juliette*.

Je rentrai chez moi. Ma femme était à une réunion de la Urban League, qui s'occupe du reclassement des chômeurs noirs. Il y a relativement peu de vrais chômeurs, parmi les chômeurs noirs. On ne leur donne pas de travail, c'est tout. Les syndicats-gangsters leur ferment toutes les portes.

L'après-midi eut lieu, dans la maison d'un professeur

d'art dramatique, une réunion de libéraux engagés dans la lutte pour les droits civiques, à laquelle je me suis bien gardé de me rendre.

Je leur avais expliqué que j'avais déjà eu beaucoup de mal à me débarrasser du Viêt-nam, du Biafra, du sort des Indiens massacrés en Amazonie, des inondations au Brésil, du sort des intellectuels soviétiques, il fallait tout de même savoir s'arrêter. L'éléphantiasis de la peau, vous connaissez? C'est lorsque votre peau vous fait mal chez les autres. Je leur ai dit, ça suffit, je refuse de souffrir américain. Je dois avouer aussi que j'éprouvais une antipathie marquée pour le « professeur » chez qui avait lieu cette réunion de solidarité avec les militants noirs. Je voyais en lui un *phony* californien typique, la traduction de *phony* étant à peu près « faisan ». C'était un de ces progressistes indignés par notre société de consommation qui vous empruntent de l'argent pour faire de la spéculation immobilière. J'ai horreur des gens dont les professions de foi libertaires naissent non point d'une analyse sociologique, mais de failles psychologiques secrètes. Si les jeunes reprochent, à juste titre, à certains disciples de Freud de chercher à les « ajuster » à une société malade, l'opération contraire par laquelle on veut ajuster la société à son psychisme malade ne me paraît pas une solution non plus.

Et puis les méthodes d'enseignement de ce professeur d'art dramatique me donnaient envie de vomir. Je l'ai vu, par exemple, à une réception qu'il avait offerte à ses élèves, se faire embrasser longuement sur la bouche par un jeune acteur mâle tout ce qu'il y a de plus hétérosexuel et marié. Et vous savez pourquoi? Pour lui apprendre à se débarrasser de ses « inhibitions » et notamment de celles qu'un acteur ressent lorsqu'il s'agit de mêler sa salive à celle d'un autre homme. Je n'ai donc pas assisté à la réunion, mais j'en ai eu un compte rendu détaillé.

Il s'agissait d'éclairer certains Blancs cossus, dont on voulait obtenir les fonds nécessaires pour faire vivre une « école sans haine », sur le degré atteint par la haine des Blancs dans le psychisme des enfants noirs. On avait donc organisé une petite démonstration, en faisant venir quelques gosses âgés de sept, huit et neuf ans, dont les parents étaient présents. Et voici, dans une transcription dont je garantis l'authenticité, le dialogue entre les enfants noirs et une dame blanche qui était non seulement leur amie, mais hébergeait chez elle toute cette famille de militants, père, mère et les cinq petits. Imaginez ces malheureux mioches noirs entourés d'une cinquantaine d'adultes blancs, en train d'assister à cette séance d'anatomie, nouvelle manière.

— *Am I a honky, Jimmy?* Suis-je une sale Blanche?

— *Yes, ma'am, you are a honky.* Oui, m'dame, vous êtes une sale Blanche.

— *Am I a blue-eyed devil?* Suis-je une diablesse aux yeux bleus?

Précisons que, dans la Bible des musulmans noirs du prophète Elijah Muhammad, tout être ayant des yeux bleus est un ennemi.

— *Yes, ma'am, you are a blue-eyed devil.* Oui, m'dame, vous êtes une diablesse aux yeux bleus.

— *Do you hate me, Jimmy?* Est-ce que tu me hais?

Ici le compte rendu porte : « Un long moment d'hésitation. Le regard de l'enfant cherche avec inquiétude ses parents. » N'oublions pas que le malheureux gosse était comblé de gentillesses depuis des mois par le *blue-eyed devil* qui l'interrogeait. Le compte rendu note : « Profond soupir de l'enfant. »

— *Yes, ma'am.* Je vous hais. *I hate you...*

Une hésitation.

— *...sort of.* En quelque sorte.

Le compte rendu s'arrête là. Il ne dit pas si, après ce numéro, on avait offert à Jimmy un su-sucre. Mais il y avait du thé et des gâteaux pour tout le monde.

Masochisme, exhibitionnisme, *showmanship*, et aussi le bon vieux *conning*, typiquement américain, cet art de l'escroquerie immortalisé par Mark Twain, une façon de jouer à *gaming whitey*, c'est-à-dire de « faire marcher le Blanc ». Car en réalité le brave Jimmy ne hait personne, et la preuve c'est qu'après « je vous hais » il ne peut s'empêcher d'ajouter « *sort of* », ce qui veut dire « en quelque sorte », et revient à avouer que l'on s'était fait violence en disant « oui, je vous hais ». Ce *sort of* annonce l'irrémédiable échec futur de tous les dressages contre nature.

Au cours d'un sondage d'opinion récent, quatre-vingts pour cent des Noirs américains consultés ont déclaré qu'ils ne haïssaient personne, ce qui veut dire qu'il y a de l'espoir, même pour les chiens blancs.

Les gens qui avaient organisé cette réunion, quelle que fût la couleur de leur peau et en dehors des escrocs présents, ont fait la preuve d'une fraternité authentique : celle de la connerie.

— *Yes, ma'am, I hate you... sort of.*

Et on passe le chapeau à la ronde. A votre bon cœur, messieurs-dames. On caresse la tête militante de Jimmy. Su-sucre.

Mais tout l'espoir de l'Amérique tient dans ces quelques mots : *sort of*.

Grâce au ciel, je n'ai pas assisté à la réunion. J'aurais sûrement mordu quelqu'un.

Ce qui me fait penser qu'il est grand temps que je m'achète une laisse plus solide. Celle qui me sert depuis si longtemps commence à être usée.

Ayant pris connaissance de ce compte rendu, j'ai dû faire une heure de course à pied à travers Beverly Hills. Mes amis croient que je fais de la course à pied pour me maintenir en forme. Pas du tout. Ce sont des tentatives de fuite.

Je reviens à la maison agréablement vidé, mais les événements se chargent de me remplir jusqu'aux bords. Il est dix heures du matin lorsque je reçois un coup de téléphone de Jack Carruthers.

— Pouvez-vous venir tout de suite?

— Quoi? Qu'est-ce qu'il y a?

— Venez.

Il raccroche.

J'y vais.

Il est là, derrière son bureau, avec son nez écrasé, ses cheveux gris en brosse et ce petit rond de peau nue, là où son crâne a été rapiécé avec une plaque d'acier. Il a l'air prussien comme tous ceux dont le visage a été aplati par les coups. Un vieux cascadeur, plus de deux mille chutes de cheval dûment homologuées, un diplôme professionnel encadré sur le mur entre une photo de Tom Mix et celle de Rintintin. La casquette de base-ball a glissé sur la nuque, la visière en érection. Il allume des cigarettes qu'il écrase aussitôt, ce qu'il appelle ne pas fumer. Il a ce côté prolétaire américain fait de distinction physique naturelle. Il ne me dit pas bonjour.

— Bon. Alors, voilà. Je vous demande l'autorisation de lui faire une piqûre. *Put him to sleep.*

— Pourquoi, brusquement?...

— Venez voir...

Le vieux chien est couché sur le flanc, la gueule ensanglantée, haletant avec effort. Il me voit et, sans lever la tête, remue la queue faiblement.

Nous entrons dans la cage. Jack se penche, palpe les côtes de la bête, qui a un sursaut spasmodique.

— Vous m'avez fait perdre mon meilleur. assistant, dit Jack.

— Keys?

— Oui. Il passait vingt fois par jour à côté de la cage, et chaque fois c'était la même chose. Un déchaînement rageur. Ce chien a été très bien dressé. Un bon chien de race. Keys ne semblait pas y faire attention, sauf qu'il me paraissait traîner autour de la cage exprès... comme s'il tenait à bien se mettre ça en tête. Les hurlements, je veux dire, *la Voix de son Maître*... Vous comprenez? Ça remontait chaque matin son petit mécanisme de haine.

Le chien me lèche la main et laisse des traces de salive sanglante sur mes doigts. Ma main hésite, je retiens ma caresse... Je sais que Batka attend sa récompense. *Tu vois, j'ai fait comme on me l'a appris...*

Je caresse la tête *fidèle*.

— Et puis, ce matin, Keys a mis la combinaison de protection et il est entré dans la cage. Il s'est expliqué avec le chien. Je les ai entendus hurler tous les deux et je vous jure que je ne sais lequel des deux hurlait plus fort, le chien ou l'homme. Il l'a à moitié tué... Inutile de vous dire que ce n'est pas le chien qui était visé. Seulement les autres, ceux qui l'ont dressé, il les avait pas sous la main. Et puis...

— Quoi?

« Noé » Jack Carruthers rit.

— Il m'a cassé la gueule. Enfin, il a essayé. Quand je l'ai aidé à se relever, il a enlevé toutes ses clefs une à une, il les a déposées sur le bureau et il est parti.

— Je suis désolé, Jack.

— Moi aussi. Il y a des millions de types qui sont absolument désolés dans ce pays. Ça change rien. Vous ne pouvez pas rééduquer votre chien, c'est aussi clair que le jour. La meilleure chose que vous pouvez faire pour lui et pour tout le monde, c'est de lui faire une piqûre. Il a été complètement *gâté*... Enfin, vous voyez ce que je veux dire...

Il regarde la bête :

— On n'a pas le droit de faire ça à un chien.

— Jack, je voudrais mettre la main sur le type qui...

— Vous savez, je ne crois pas que vous arriveriez à le rééduquer, lui non plus. C'est une génération comme ça. Elle s'en ira toute seule, gentiment. Les générations, c'est fait pour disparaître. Seulement, je ne suis pas sûr que les Noirs ont le temps ou l'envie d'attendre...

Il braque sur moi son regard d'une bleue hostilité.

— Pour la piqûre, c'est oui ou c'est non?

— C'est non.

Il acquiesce.

— Alors, vous allez le reprendre, je ne veux pas le garder.

Il plisse un peu les yeux, et les rides affluent soudain de tous les côtés. Je guette son demi-sourire, curieusement inachevé, interrompu à mi-chemin, comme toutes les expressions sur ce visage rafistolé aux nombreuses paralysies faciales.

— J'ai une idée. Je connais un chenil où il n'y a pas

de Noirs. On les embauche pas. Mettez le toutou en pension chez eux. Je vous donnerai l'adresse.

— Allez vous faire foutre..

Il fait encore une fois un petit signe d'approbation et s'en va, en jetant la cigarette qu'il vient d'allumer.

Je reste assis par terre dans la cage à côté de Chien Blanc.

Je laisse passer le temps, c'est toujours autant de gagné. Une, deux heures, je n'en sais rien. Ma décision est prise, mais je profite de cette certitude pour retarder l'exécution.

Je vais chercher la laisse dans la voiture et je téléphone à Chuck Belden. Je lui demande de me prêter son revolver.

Je reviens chercher Batka. Il me suit en boitillant, la langue pendante. Il a de la peine à sauter sur le siège de la voiture. Une ou deux côtes cassées, probablement. Je l'aide. Nous roulons à travers Ventura Boulevard, coupons par Laurel Canyon. Aux feux rouges, les gens sourient à ce bon chien sagement installé à côté du conducteur, surveillant la route. A Van Niess je brûle un feu rouge, pour ne pas m'arrêter à côté d'une camionnette dont le chauffeur est un Noir...

J'enferme Batka dans le garage.

Chuck m'apporte un colt de l'armée à quatre heures de l'après-midi. Je me verse un whisky, mais me retiens. Je sais que je ne peux pas me permettre de boire un whisky et de me balader ensuite à travers la ville avec un revolver chargé à portée de la main. Chez moi, l'alcool supprime la laisse.

Je vide donc le verre dans le bégonia et me mets au volant. Batka aime les promenades en voiture. Je ferme toutes les vitres et nous traversons Hollywood, roulant vers le Griffith's Park où j'allais jadis faire de la course à pied avant de m'installer dans mon bureau consulaire à Outpost Drive.

Ces collines couvertes de maquis étaient alors un lieu de promenade favori des amoureux de la nature et des amoureux tout court; aujourd'hui, les gens traversent ces lieux déserts en quittant rarement leur voiture. Le taux de criminalité monte de soixante-dix pour cent chaque année dans les grandes villes américaines. Vous n'avez qu'une chance sur mille d'être lardé de coups de couteau, mais dans ces rapports exclusifs que chacun s'imagine avoir avec le destin, on se sent personnellement visé...

J'arrête la voiture près de la Croix du Pèlerin et je fais sortir Batka.

Je prends le revolver.

Batka me regarde. Il sait. L'instinct.

Il baisse la tête.

Je vise derrière l'oreille.

Chien Blanc attend.

Ma main tremble. Je pleure. Les larmes noient tout. Le chien se brouille. Je tire.

Je le rate.

Le chien n'a pas bougé : il ne m'a pas regardé.

J'ai l'impression d'avoir raté mon suicide.

Chien Blanc lève les yeux vers moi, puis se détourne et attend.

Je suis pris de vomissements.

— Tout de même, monsieur, tant de drames pour un clébard... Et le Biafra?

Vous vous foutez de moi? Le Biafra?

En somme, ne rien faire pour le Biafra, ça vous permet de ne rien faire pour un chien?

Il existe aujourd'hui une nouvelle casuistique qui vous

dispense, à cause du Biafra, à cause du Viêt-nam, à cause de la misère du tiers monde, à cause de tout, d'aider un aveugle à traverser la rue.

Le revolver glisse dans ma main mouillée.

— Chien Blanc, viens ici.

Il se lève péniblement et fait un pas vers moi, renifle le canon de l'arme...

Non, merde, jamais.

Qu'est-ce que j'en ai à foutre, moi, des Noirs? Ce sont des hommes comme les autres. Je ne suis pas raciste.

Et puis, une balle dans la tête de cette bête, il y a un nom pour ça, monsieur Romain Gary : défaitisme. Capitulation devant l'ennemi. Ça ne m'est encore jamais arrivé. On n'a pas idée d'avoir un colt chargé à la main et de se rendre.

Les collines hérissées de maquis sont déjà touchées par une brume violette qui adoucit le paysage barbelé. Mais la douceur reste à l'extérieur.

J'allume un havane dont le prix suffirait à nourrir une famille indienne pendant dix jours.

Je me sens mieux.

Je tapote la nuque de Batka.

— On les aura.

Il remue la queue, la langue dehors.

— Ils ne passeront pas!

Il me donne la patte.

Dommage qu'il n'y ait pas autour de moi quelque mur bien vierge où je pourrais griffonner des professions de foi humanitaires.

— L'homme se fera!

Lorsqu'il s'agit de m'accrocher à un espoir, je n'ai pas mon pareil.

Un champion.

— L'homme vaincra parce qu'il est le plus fort!

Bref, je triche comme je peux. Mais l'essentiel est que je gagne. Je remets la laisse à Batka et ouvre la portière. Il saute sur le siège. Le p'tit psychodrame est terminé. Je m'arrête chez Schwab et je téléphone au zoo. Personne. Je trouve le numéro de Jack dans l'annuaire. Je fais mes aveux.

— Vous me racontez ça pourquoi, exactement?

— Reprenez le chien jusqu'à ce que je quitte les États-Unis. Je l'emmènerai avec moi.

— Allez vous faire foutre. Mettez-le dans un chenil sans nègres. Il y en a un de formidable, à Santa Monica. Du grand luxe. Même le maire Yorty[1] ne ferait pas mieux.

— Alors, donnez-moi le téléphone de Keys.

— Qu'est-ce que vous lui voulez?

— Je veux lui parler.

— C'est un musulman noir, vous savez. Au mieux, vous l'aiderez seulement à obtenir son billet pour La Mecque. *You'll only help him to get his ticket for Mecca.* Il paraît que les frères musulmans y ont droit s'ils apportent à Elijah Muhammad cinq scalps blonds, ou cinq paires d'oreilles roses.

— S'il revient travailler chez vous, est-ce que vous reprendrez le chien?

— *It's a deal.* C'est d'accord. Vous vous rendez compte que j'ai deux cents serpents tout pleins de beau venin et personne pour l'extraire? C'est un spécialiste du venin, Keys. Ceci dit, je n'ai pas son numéro de téléphone ici. Téléphonez-moi demain au bureau.

1. Lamentable maire de Los Angeles, réélu après une campagne fortement teintée de racisme anti-Noirs.

J'enferme Batka pour la nuit dans le garage, avec une pâtée royale.

Je ne souffle mot à Jean. Elle ne sait pas que Batka est à côté.

Il y a encore une réunion de militants dans le salon.

Jean Seberg appartient depuis l'âge de quatorze ans à toutes les organisations de lutte pour l'égalité des droits. Cela crée entre nous un problème grave. Comme j'ai accompli mon parcours et mes culbutes fraternelles entre dix-sept et trente ans, et qu'il y a entre elle et moi vingt-quatre ans de différence, je refuse absolument de revivre cette lente agonie encore une fois. J'ai connu trop de chutes et je n'ai pas envie d'assister aux siennes.

Quand j'entre dans le salon, on se tait. Avec juste raison. J'ai une tête où ça se voit. Je veux dire, il suffit de me regarder pour sentir une certaine froideur. Car je sais qu'il y a dans les « bons camps » autant de petits profiteurs et de salauds que dans les mauvais.

Dans le cas de la réunion dont je parle, les événements s'empressent de me donner raison.

Quelques semaines plus tard, en effet, un des salauds présents, qui se trouvait avoir revêtu, si je puis dire, une peau noire pour la circonstance, a essayé de faire un peu de chantage avec la noble excuse du *gaming whitey*, c'est-à-dire de faire marcher les Blancs. Miss Seberg, nous avons de vous une lettre compromettante, dans laquelle vous acceptez de transmettre un message de salut révolutionnaire fraternel aux étudiants africains de Paris... Il y a même là le nom d'un des chefs des Panthères Noires... Si nous publions ça, votre carrière de vedette en Amérique...

Jean a répondu :

— Publiez.

Elle a pleuré un peu après. Miss Seberg est encore à un âge où l'on peut être déçue.

J'attends qu'elle signe son chèque de contribution, c'est-à-dire que le salon se vide, et je vais me coucher.

J'obtiens le numéro de Keys le lendemain et l'appelle. Une voix de fillette m'informe que papa n'est pas là.

— Vous ne savez pas où je pourrais le joindre?

L'enfant demande anxieusement :

— Il s'agit d'un animal?

— Oui, c'est très important.

Quelques chuchotements à l'autre bout.

— Papa est au *Pancake's Studio*, dans Fairfax.

Je cherche l'adresse du *Pancake's Studio* et trouve Keys installé devant une montagne de crêpes au *maple syrup*. Il porte sur la tête une de ces petites calottes musulmanes qui semblent avoir été découpées dans un *carpet bag*. Il me dit bonjour fort aimablement et m'indique la chaise avec la pointe de son couteau. Il a de petites dents extraordinairement fines et blanches. J'ouvre la bouche pour commencer mon plaidoyer, mais il m'interrompt.

— Je sais, je sais. J'ai un peu perdu patience, l'autre jour. *I'm sorry about that*. Désolé... C'est mes oreilles qui m'ont lâché...

— Les oreilles, répétai-je d'un air entendu, mais n'y comprenant strictement rien.

— J'ai les oreilles sensibles. Je ne pouvais plus supporter ces hurlements. Je l'ai rossé, un peu comme on casse une radio qui fait trop de bruit...

Il réfléchit, tout en mangeant. Je me souviens que j'avais saisi une fois de plus dans ses yeux et sur son visage cette expression que je ne peux qualifier autrement que de *scheming*, d'homme qui est en train de mijoter un petit plan.

— Ramenez-le au chenil. Je vais m'en occuper personnellement. Ça prendra du temps. Mais je suis sûr d'y arriver.

Il coupe en quatre un *pancake* ruisselant d'ambre.

— J'y arrive toujours.

— Vous voulez que je prévienne Jack?

— Pas la peine. Je vais finir ça et je reviens au boulot. Amenez le chien vers midi.

Il mange avec appétit.

— C'est une belle bête. Ce serait dommage de la perdre.

Il me sourit de toutes ses dents pointues :

— Vous savez que depuis Watts un bon chien de garde bien dressé, les Blancs paient ça jusque six cents dollars [1]?

Je ne dis rien, me lève et m'en vais. Il a l'air de me prendre pour un Blanc, ce salaud-là.

[1]. Depuis les assassinats de Bel Air, les prix ont doublé, d'après les journaux.

III

Je ramène Batka au chenil et annonce à Carruthers le retour imminent de son employé chéri. Les serpents vont pouvoir être débarrassés de leur venin au profit de l'humanité. Jack est en train de boire son café du matin, appuyé contre les barreaux du quartier des singes. Une espèce de petit velu noir à peine plus grand qu'un ouistiti essaie de tremper son doigt dans le café, par-dessus son épaule. De temps en temps, Jack lui tend sa tartine beurrée, le singereau mord dedans et Jack mange le reste.

— J'ai des emmerdements avec mes kangourous, ce matin, m'explique-t-il. La mère de famille a rossé papa, mais quelque chose de maison. Je ne sais pas ce qui se passe dans cette famille. La psychologie des kangourous, il y a des fois où je m'y perds. On dit que les Australiens ressemblent aux Américains, mais c'est pas tellement vrai pour les kangourous. Qu'est-ce qu'elle a, cette pute ? Il n'y a pas d'autre femelle dans la vie de mon gars, alors ? Ça m'ennuie, parce qu'ils doivent donner une exhibition de boxe cet après-midi, au profit des orphelins coréens. Le vieux n'est pas en état de se battre. Complètement terrorisé. Vous savez, tous les kangourous sont un peu dingues. J'en ai eu un, il y a quelques années, qui tombait dans les pommes chaque fois que je lui présentais une femelle en chaleur. Il humait l'air, par petites aspirations rapides, comme un lapin, et puis il tournait de l'œil. Un émotif. La femelle était tellement vexée qu'elle lui sautait dessus à pieds joints. La psychologie, mon ami, ça ne vous cause que des emmerdements. Vous voulez du café ? Non ? Alors Keys revient et il va s'occuper personnellement du toutou ?

— C'est vraiment un type bien, Keys.

« Noah » Jack Carruthers boit une gorgée de café. Il a un air rêveur.

— Ouais, dit-il sans aucune conviction.

Ses yeux pâles me dévisagent un instant, puis vont ailleurs.

Le singe tend le bras et lui arrache des mains le reste de la tartine.

— Les serpents l'aiment bien aussi, dit Jack. Keys, c'est un vrai charmeur.

Il vide le fond de sa tasse sur le gazon.

— Jamais vu un mec aussi haineux que ça, dit-il, avec une espèce de respect. Ça fait plaisir à voir... Bon, il faut que j'aille remonter le moral à mon kangourou.

Il me regarde de travers.

— Vous faites tout ça pourquoi ?

— Comment ?

— Le toutou.

— Je veux sauver ce chien, c'est tout...

— Tu parles... *You bet.* Qu'est-ce que vous essayez de prouver, au juste ?

— Mais... rien du tout.

— Ça va, mon ami. Les intellectuels, on connaît... C'est symbolique ? Vous voulez prouver que c'est guérissable ?

— *C'est* guérissable.

— Sûr, sûr. Mais il faut commencer au berceau. Ça prendrait cinquante ans. Enfin, avec Keys...

— Quoi, avec Keys?

— Vous êtes en bonnes mains. Le venin, ça le connaît. *Be seeing you.* A bientôt.

Il s'en alla.

Le petit singe, accroché aux barreaux, me tendait la main en glapissant.

IV

Je rentre à Arden. Celia, notre amie espagnole, me dit qu'un monsieur est venu à deux reprises pour me parler et qu'il va revenir dans l'après-midi.

Il est six heures du soir. Je suis assis devant la piscine, dans le patio.

Jean est partie faire la quête pour une école Montessori qu'elle soutient depuis un an. Un des buts de cet établissement est de donner aux petits Noirs une éducation « sans haine ». C'est marqué en toutes lettres dans le prospectus. Une éducation *sans haine*. Voilà qui est lourd de sous-entendus, car si c'est là une école *différente* des autres...

Il me semblait jusqu'à présent que, là où il y a de la haine, il n'y a pas d'éducation. Il y a déformation. Dressage.

Je suis en train de me dire que le problème noir aux États-Unis pose une question qui le rend pratiquement insoluble : celui de la Bêtise. Il a ses racines dans les profondeurs de la plus grande puissance spirituelle de tous les temps, qui est la Connerie. Jamais, dans l'histoire, l'intelligence n'est arrivée à résoudre des problèmes humains lorsque leur nature essentielle est celle de la

Bêtise. Elle est arrivée à les contourner, à s'arranger avec eux par l'habileté ou par la force, mais neuf fois sur dix, lorsque l'intelligence croyait déjà en sa victoire, elle a vu surgir en son milieu toute la puissance de la Bêtise immortelle. Il suffit de voir ce que la Bêtise a fait des victoires du communisme, par exemple, du déferlement des spermatozoïdes de la « révolution culturelle », ou, au moment où j'écris, de l'assassinat du « printemps de Prague » au nom de la « pensée marxiste correcte ».

A ma tristesse, à mon envie de retraité de « ne plus m'en mêler », s'ajoute un agacement beaucoup plus personnel et assez drôle. Depuis que je suis arrivé à Hollywood, *ma* maison, c'est-à-dire celle de ma femme, est devenue un véritable quartier général de la bonne volonté libérale blanc-américaine. Les libéraux, au sens américain du mot — en français, le mot qui me semble s'en rapprocher le plus est« humanitariste » ou plutôt« humanitaire » — l'envahissent dix-huit heures sur vingt-quatre, même lorsque Jean est au studio. C'est la permanence des belles âmes, et ceux qui s'imaginent que je mets quelque accent moqueur dans ces mots feraient mieux de refermer immédiatement ce livre et d'aller se promener ailleurs. Il y a quarante ans que je traîne en moi dans le monde mes illusions intactes, malgré tous mes efforts pour m'en débarrasser et pour parvenir à désespérer une fois pour toutes, ce dont je suis physiologiquement incapable. Et c'est bien cela qui me rend si belliqueux dans mes rapports avec toutes ces « belles âmes » dans lesquelles je me reconnais moi-même, avec tout ce que cela suppose de transfert scorpionesque, comme chez ces nègres qui haïssent leur condition dans les autres nègres, ou chez les Juifs antisémites. Il faut dire aussi que je suis de plus en plus exaspéré par le nombre de parasites qui gravitent autour de Jean. Tous les jours des organisations-groupuscules se créent en marge de la lutte pour les droits civiques, qui n'ont d'autre activité ni d'autre but que d'assurer la survie économique de leurs « comités directeurs ». Ils sont tous en position d'attente, prêts à recueillir la manne céleste qui doit tomber des diverses fondations et des autorités fédérales. Je n'ai jamais mis le nez dans les affaires financières de Jean Seberg. Mais j'observe, depuis mon arrivée, une bonne demi-douzaine de *con-men*, escrocs et picaros éternels, qui jouent à fond — et gagnent — en misant sur son double sentiment de culpabilité : celui de la vedette de cinéma, sans doute un des êtres les plus méprisés, parce que les plus enviés du monde, et celui de la luthérienne, cette apothéose du *péché originel*.

Je souffre de ne pas me reconnaître à moi-même cette autorité maritale du Code Napoléon d'un autre temps, mais dont, secrètement, j'aurais bien aimé pouvoir me réclamer pour foutre à la porte de chez moi quelques-uns des croquants noirs qui font payer un impôt sur la « culpabilité » à mon épouse blanche.

Je constate encore une fois que je ne me sens pas plus à l'aise en Amérique qu'en France. J'aime trop ce pays. J'y ai vécu trop longtemps pour m'y sentir un étranger.

Je téléphone à mon agent et le charge de m'arranger un reportage au Japon. J'avais déjà été au Japon et, malgré la brièveté de mon séjour, c'est un des rares pays du monde où je me sois senti vraiment un étranger. Un merveilleux sentiment de ne pas être dans le coup. Il y avait une barrière de langage formidable, qui vous tenait délicieusement éloigné. Je dus partir trop rapidement, mais je commençais à éprouver pour les Japonais cette sympathie que l'on peut ressentir seulement envers ceux qui vous semblent totalement différents de vous-même.

Je me mets donc à remonter sérieusement mon mécanisme-décision pour me convaincre de faire ma valise, quitter les États-Unis et courir n'importe où, pourvu que je n'y entende plus cette sempiternelle ritournelle : « Bien sûr, ce Noir est une fripouille, mais n'oubliez pas que ce sont les Blancs qui l'ont rendu comme ça. » Ma belligérance rentrée finit par me rendre malade.

Maï est assis sur mes genoux. Ce chat siamois, qui ne me quitte pas et s'installe sur mon épaule pour me raconter avec force détails des histoires incompréhensibles, de sa voix aux innombrables nuances, est une fois de plus en train de me confier des secrets du monde-chat que j'essaie en vain d'interpréter. Un folklore prodigieux, que seul Pouchkine avait su mettre en poème, peut-être même toute une philosophie-chat qui me passe à côté, une vraie catastrophe philologique. Le sphinx vous parle enfin, vous dit tout et vous voilà arrêté au bord de la grande révélation par votre ignorance des langues étrangères.

Jean revient, rôde autour de moi, un instant, je suis de pierre. Je n'ai rien à lui pardonner, mais je crois qu'il y a chez moi une petite vexation assez cocasse de mari qui voit sa femme penser davantage aux malheurs de son pays qu'à ce qui se passe à la maison.

On sonne à la porte et je vais ouvrir. Ce sont deux enfants, une fillette et un garçon, sept ou huit ans, adorables, avec cet air de conte de fées blond des gosses américains.

— *Excuse us, Sir.* Est-ce que Fido est ici?

— Non, Fido n'est pas ici.

Je me précipite vers le réfrigérateur et reviens avec des

brownies au chocolat que mon régime m'interdit, mais que je garde là pour la concupiscence du regard.

— *No, thank you, Sir.*

Ravi, j'avale les gâteaux.

Les enfants échangent un regard, puis m'observent sévèrement avec un air du genre cinq ans de prison, sans sursis.

— A la S.P.A., on nous a dit que Fido est bien chez vous.

Je commence à comprendre qui est Fido, lorsque d'une Chevrolet qui achève de se ranger devant ma maison sort un homme âgé, maigre et sec, avec cette chevelure abondante poivre et sel du grand-père que l'on voyait il y a quarante ans sauter par-dessus les palissades dans la publicité des « Sels Kruschen, printemps éternel » et qui est, je le constate avec plaisir, encore vivant et tout aussi en forme. Il traverse le gazon d'un pas souple. Soixante-dix ans bien sonnés, à en juger par les craquelures de ce visage bronzé et gai, ouvert. On devine une longue vie heureuse, une bonne retraite et des économies, toutes hypothèques payées, l'assurance *Blue Cross*, la pêche à la ligne et la chasse aux canards, le tout sous chemise à carreaux rouges Pendleton. Il se plante entre les enfants, une main sur l'épaule de chacun...

— *Good afternoon, Sir...* On nous a dit à la S.P.A. que vous avez recueilli il y a trois semaines un chien qui semble bien être à nous. C'est un berger allemand, avec une petite verrue sur le museau et quelques poils roussâtres... Notre caravane a brûlé à Gardenia, alors que nous étions en promenade, et le chien s'est sauvé, il a filé dans la nature...

— *Fido is the name.* Il s'appelle Fido, dit le petit garçon

J'entends des pas derrière moi. Ma femme. Je prends garde de ne pas me retourner. Jean ne sait pas mentir.

— Entrez, entrez...

Ils entrent. Les enfants ne me quittent pas des yeux. Ils avaient dû beaucoup pleurer, lorsque le bon Fido avait disparu.

Je leur souris aimablement, je prends un air honnête et franc. Il y a longtemps que je me suis préparé à cette éventualité. Je crois même que je me frotte les mains, dans mon for intérieur.

— Il n'avait pas de collier, votre chien?

Le grand-père hoche la tête.

— Non, le chien avait grossi et nous avions dû lui enlever le collier qui l'étranglait, surtout quand nous étions obligés de l'attacher. Nous allions justement lui en acheter un autre avec une plaque d'identité réglementaire, mais...

Je lève la main.

— Aucune importance. Je suis sûr qu'il s'agit bien du même chien, verrue, poil roussi autour du museau, on aurait dit un fumeur invétéré, ha, ha, ha...

Le visage des petits anges blonds s'éclaire.

— C'est bien lui, dit le père Kruschen.

— Désolé. Je n'ai plus le chien. Je me suis adressé à la S.P.A., j'ai même fait passer une annonce dans l'*Examiner*... Personne ne s'est manifesté.

— Nous étions ici en vacances, dit le vieux. Mon fils et sa femme sont venus à Los Angeles pour voir si le pays leur plairait et chercher une maison, éventuellement. Il est ensuite rentré en Alabama pour régler ses affaires, avant de venir s'installer ici définitivement.

— Joli pays, l'Alabama, dis-je aimablement.

48

Le grand-père a un de ces sourires qui vous éclairent une pièce.

— Le plus beau, dit-il.

— Mais la Californie n'est pas mal non plus, j'ajoute. Il est d'accord.

— Il y a ici plus de possibilités pour trouver une situation intéressante. Mon fils a pris sa retraite de la police après vingt ans de service, il a l'intention de s'établir à son compte. Il veut ouvrir un chenil. Il n'a que quarante-sept ans. Oui, il était dans la police d'État. Moi-même, j'étais sheriff...

Je souris.

— C'est dans la famille.

— Oui, mon père à moi était déjà *deputy* sheriff et...

Je sens qu'il va me sortir des photos.

J'entends dans la pénombre la voix un peu tremblante de ma femme qui dit en français :

— Si tu leur rends le chien, je m'en vais.

Mon sourire s'élargit.

— La ferme, dis-je aimablement. Je joue au con, c'est tout.

Grand-père Kruschen est enchanté.

— Vous êtes français ?

— Oui, je suis né à Verdun, c'est ce qu'on a appelé le miracle de la Marne.

— J'étais en France en 1917, dit-il. Engagé volontaire. La Madelon, le maréchal Foch... Ça ne me rajeunit pas...

— Il ne rate pas un cliché, ce vieux schnock, dit Jean.

Quand Jean parle argot avec l'accent américain, c'est quelque chose.

— Je suis désolé pour le toutou, dis-je. Je ne l'ai plus.

Je regarde le bonhomme :

— Un chien remarquablement dressé, dis-je.

Mais j'oublie que, pour le brave homme, tout cela est parfaitement naturel, il n'a rien à se reprocher. Mon allusion fielleuse passe complètement à côté.

— C'est un chien policier, m'explique-t-il. Un des meilleurs. Mon fils l'a dressé lui-même. Dans la police, il s'était spécialisé dans le dressage des chiens. Il a toujours aimé les bêtes, il avait également dressé les parents. Fido a deux générations de chiens policiers derrière lui. Passé huit ans, les chiens sont mis à la retraite. Ils sont très demandés. Mon fils a racheté son préféré. Il vous garde une maison comme personne.

— Tu parles, Charles, dit Jean dans une réminiscence inattendue de son dialogue avec Belmondo, dans *A bout de souffle*. Je traduis :

— Excusez ma femme, elle ne parle pas un mot d'anglais... Elle demande si vous voulez boire quelque chose...

— Et avec les oreilles, tu ne fais rien ? me demande Jean.

C'est une phrase clef dans nos rapports. Je la dois à l'acteur Mario David. Un jour, l'apercevant attablé au buffet de l'aéroport de Madrid, je me précipite vers lui, débordant d'amitié, je renverse la bouteille de vin, j'essaie de la saisir, je marche sur le pied du serveur, je me retourne, en donnant un coup de coude dans l'œil à Mario et, comme je me confonds en excuses, une couronne en or se détache de mon bridge et tombe dans le potage. Mario David me regarde avec intérêt et demande :

— Et avec les oreilles, Romain, vous ne faites rien ?

Je propose donc :

— Un scotch ?

— Non, merci, vraiment... Vous avez donné le chien à quelqu'un... ?

— Oui. Qu'est-ce que vous voulez, comme personne ne le réclamait... Il se trouve qu'un de mes amis s'est pris d'amitié pour la bête...

— Vous avez son adresse?

Je fais mine d'hésiter.

Mon sheriff prend un ton assez sec. Officiel.

— Je vous prie de me donner l'adresse de votre ami.

— Écoutez, dis-je. Je vous demande de réfléchir. J'ai été frappé par le fait que votre chien et mon ami semblaient avoir entre eux une sorte d'affinité instinctive, presque animale... Il faut vous dire que mon ami est un Africain... *Un Noir.*

Grand-père Kruschen s'est figé. Sa pomme d'Adam eut un joli mouvement d'ascenseur et son sourire s'éteignit cependant que sa bouche demeurait ouverte, ce qui lui donna une expression d'ahurissement total. Il est des moments, dans la vie d'un couple, où de longues années de vie commune se manifestent d'une manière inattendue : l'un des époux se met soudain à parler le langage de l'autre. Car c'est une locution que j'avais ramassée jadis à la Légion étrangère, et que jamais, au grand jamais, je n'avais encore surprise sur les lèvres ravissantes de ma compagne, qui retentit soudain au fond de la pièce, avec une nuance d'estime et même d'admiration :

— Eh bien, mon cochon! dit Seberg.

Ainsi encouragé, je pris mon envol :

— Mon ami est un jeune étudiant africain qui avait obtenu une bourse pour un an d'études à l'U.C.L.A. Quand il a rencontré votre chien, ç'a été, je vous dis, l'amitié instantanée... Oui, un vrai coup de foudre. Ces deux-là, ils avaient des atomes crochus, en quelque sorte. Vous ne me croiriez pas si je vous disais qu'il n'y avait plus moyen de les séparer...

Le père Kruschen revenait lentement à la surface. Je ne sais pas où il avait plongé, mais c'était le genre de gars qui a la mâchoire solide et qui refuse de rester au tapis. De la graine de pionnier. Ce sont des hommes comme ça qui ont bâti l'Amérique. La voix était un peu rauque :

— Votre ami nègre a emmené le chien en Afrique?

— Oui, dis-je. C'est même moi qui ai payé le billet. Je ne voulais pas les séparer. Il y a des choses qui ne se font pas.

La petite fille se mit à pleurer, les poings dans les yeux.

— *I want Fido*, gémit-elle, d'une toute petite voix à vous fendre le cœur. Je veux Fido!

Je m'empresse de dire que ce n'est qu'une figure de style.

J'étais à peu près aussi bouleversé par ces larmes que Gengis Khan l'eût été par *Les Malheurs de Sophie*.

— Pauvre petit chou, dit Seberg, et, croyez-le ou non, il y avait une note de pitié absolument sincère dans sa voix.

Entendons-nous. J'aime les enfants, depuis que j'en ai un moi-même. Mais justement, si ces deux adorables mioches pleurant à chaudes larmes leur toutou perdu me faisaient si peu d'effet, c'est qu'en regardant mon sheriff je me demandais pourquoi l'âge moyen des victimes abattues par la police dans les ghettos lors des émeutes raciales se situe entre quatorze et dix-huit ans.

Il y eut entre nous un grand silence, un grand silence blanc.

Mon sheriff comprenait. On se comprenait.

— Vous n'aviez pas le droit de disposer de cet animal, dit-il.

Je me fis conciliant.

— Écoutez, je vais écrire en Afrique. Je suis sûr que votre chien est traité comme un petit roi, là-bas. Il ne manque en tout cas de rien. Ils sont deux cents millions, les Noirs, en Afrique, alors, vous pensez...

Il se leva. Ses grandes mains rugueuses revinrent se poser sur les deux petites têtes blondes dans un geste protecteur. C'était un excellent grand-père, ce salaud-là.

Mais le plus terrible, c'est que ce n'était justement pas un salaud. C'était un brave homme.

— Nous allons voir un avocat, dit-il.

— Voyez-le. Vous me direz ensuite de quoi il a l'air.

Ma femme l'accompagne jusqu'à la porte. L'hospitalité américaine. Ensuite, elle revient vers moi, passe ses bras autour de mon cou, met sa joue contre ma tête. Nous restons ainsi un long moment, sans nous parler. Et puis j'ai le tort de lui faire ma petite leçon de maturité, c'est-à-dire de lassitude.

— Jean, laisse tomber. Tu ne peux pas toucher les *vrais*, ils sont hors d'atteinte, des millions et des millions, et les autres, les pseudos, les faux, les professionnels de la souffrance des autres, c'est trop triste, trop démoralisant. Il y a une barrière qui n'est pas celle de la couleur, mais qui est tout aussi infranchissable : celle de ton métier... Une vedette de cinéma, même la plus sincère, la plus dévouée, la plus foncièrement honnête, dès que ça touche à une grande souffrance sociale, à une vraie plaie, eh bien, ça fait... ça fait vedette de cinéma. Vous êtes constamment entourées de trop de publicité et de photographes pour que la foule puisse voir en vous autre chose dans tout ce que vous faites que la recherche de la publicité et des poses prises pour les photographes... Ou alors il faut plaquer le cinéma, travailler obscurément à la base, mais là personne ne voudra de toi, parmi ceux qui t'entourent, car c'est la vedette qui les intéresse...

— Je sais et je m'en moque... Mais il y a l'école... Trente enfants qu'on ne peut pas laisser tomber... Bill Fisher nous a encore envoyé de Marshalltown un chèque de cinq mille dollars et...

Je sens ses larmes glisser le long de mon cou.

— Écoute-moi, Jean. Parlons un peu de cette école qui se veut « sans haine »... Si ces malheureux gosses sont vraiment élevés sans haine, dans une école spécialement conçue pour ça, ils vont être complètement désarmés et désadaptés face aux autres...

— Je veux les aider. Je sais qu'il y a ce côté maudit de « vedette de cinéma ». Je m'arrêterai de faire des films.

— Si tu t'arrêtes de faire du cinéma, tu n'auras plus besoin de te faire pardonner d'être Jean Seberg, une vedette de cinéma, et tu cesseras probablement de vouloir les aider...

— Parce que c'est ça qui me fait agir?

Je me lève.

— Je n'en sais rien. En tout cas, moi, j'en ai assez. Je fous le camp. Je n'en peux plus. Dix-sept millions de Noirs américains à la maison, c'est trop, même pour un écrivain professionnel. Tout ce que ça va donner, avec moi, c'est encore un livre. J'ai déjà fait de la littérature avec la guerre, avec l'occupation, avec ma mère, avec la liberté de l'Afrique, avec la bombe, je refuse absolument de faire de la littérature avec les Noirs américains. Mais tu sais bien ce que c'est : quand je me heurte à quelque chose que je ne puis changer, que je ne peux résoudre, que je ne peux redresser, je l'élimine. Je l'évacue dans un livre. Après je ne suis plus oppressé. Je dors mieux. Alors, je fous le camp. Je ne peux pas publier du Noir. Je refuse absolument. Je...

— Tu en feras un livre de toute façon, dit-elle.

— Jean, laisse tomber. Tu as vécu dix ans en dehors. Tu es française par mariage.

— Je vais rester américaine jusqu'à en crever...

— Oui, eh bien moi, je refuse de vivre avec l'Amérique sur le dos...

On sonne à la porte. Je vais ouvrir. Ils sont cinq, en tenue tribale, dames et messieurs. Je gueule en français : « Ah non, assez, merde », et je leur claque la porte au nez. Je me tourne vers Jean. Je crois que je hurle, mais je n'en suis pas sûr.

— Ils sont là. Ils se présentent. Ils insistent, ces salauds-là. Puisqu'ils insistent, je vais le faire. C'est plus fort que moi, tu le sais parfaitement. Je vais te leur foutre un livre sur la souffrance des Noirs, un de ces coups de baguette magique qui mettent fin à la souffrance des Noirs, comme *Guerre et Paix* ou *A l'ouest rien de nouveau* ont mit fin aux guerres. Ça ne se compte plus, les livres qui ont changé le monde, mais si tu m'en cites un, je te baiserai les pieds... Alors, ou bien tu me débarrasses du problème noir à la maison, ou bien c'est moi qui m'en débarrasserai. Je foutrai tes dix-sept millions de Noirs dans un livre et on n'en entendra plus parler. Légitime défense.

Elle va à la porte, l'entrouvre :

— Un instant, dit-elle. Mon mari se déshabille...

Je dis :

— Nom de Dieu. Je pars.

— Pars.

Je vais dans le garage et me mets au volant.

A la question, dans le fameux questionnaire de Proust :
« Quel est le fait militaire que vous admirez le plus ? »
j'avais répondu : « La fuite. »

Je me suis beaucoup battu dans ma vie. J'ai fait ma
part. Je n'en veux plus.

Tout ce que je demande, à présent, c'est qu'on me laisse
fumer en paix encore quelques cigares.

Seulement, ce n'est pas vrai. Et il n'y a rien de plus
terrible que de ne pas pouvoir désespérer.

Alors, la fuite. Sans hésiter.

Je suis le Sunset Boulevard vers l'Océan, mais fais brutalement demi-tour et reprends le Coldwater Canyon
jusqu'à l'arche de « Noah » Jack Carruthers. Je traverse le ranch et entre dans le chenil. Batka me lèche
la figure, dressé sur ses pattes, et je le serre dans mes
bras.

— Adieu, Batiouchka...

Je lui parle en russe, afin que personne d'autre ne nous
comprenne :

— Écoute-moi bien, vieux frère. Je ne te demande pas
de ne pas mordre les Noirs. Je te demande de ne pas
mordre *seulement* les Noirs.

Je crois qu'il me comprend. Les chiens savent reconnaître
leurs frères de race.

J'achète une brosse à dents et prends le premier avion
pour Honolulu. Ensuite, Manille, Hong Kong, Calcutta,
Téhéran... Je m'arrête ici et là, quelques jours, pour me
désorienter, me perdre de vue en me frottant de « couleur
locale », d' « exotisme », de « pittoresque », de « dépayse-
ment », quelques jours par-ci, quelques jours par-là, en
surface, sans insister, sinon je commencerais à me rendre
compte que tous ces déguisements cachent surtout notre

donnée première indigne et inacceptable, et je vais encore me retrouver nez à nez avec moi-même.

J'écris ces notes à Guam, face à mon frère l'Océan. J'écoute, je respire son tumulte, qui me libère : je me sens compris et exprimé. Seul l'Océan dispose des moyens vocaux qu'il faut pour parler au nom de l'homme.

V

Il faisait nuit dans mon avion au-dessus des rizières et des villes khmères, six heures de l'après-midi à Los Angeles, lorsque Sandy, qui était couché aux pieds de Jean, avait dressé les oreilles, puis s'était levé pour s'approcher doucement de la porte. La truffe au sol, il demeura un moment à humer l'air, puis se mit à remuer la queue pour annoncer une bonne venue.

C'était Batka. Il s'était évadé du chenil et avait traversé toute la vallée de San Fernando et les collines de Beverly pour venir rejoindre les siens.

Jean devait me dire qu'il y avait dans les yeux du vieux chien plus d'amour qu'elle n'était capable d'en supporter. Elle avait éclaté en sanglots. Car il ne pouvait être question de garder à la maison une bête qui était pour nos amis noirs l'incarnation et la présence parmi nous de tout ce que furent les siècles d'esclavage. « J'ai passé une sale nuit en essayant de réconcilier les irréconciliables. Ce qui, en soi, relevait déjà d'une sorte de dilettantisme de luxe, de sybaritisme moral. Il n'y avait même pas à hésiter. »

Le lendemain, elle appela Carruthers pour le prévenir.

— Ah bon, il a trouvé le chemin. Parfait. Bon débarras.

Il y avait dans la voix de Carruthers plus que du soulagement. Une véritable joie.

— Vous n'êtes pas ce que j'appellerais un homme qui veut changer le monde, Jack.

— Voilà ce que c'est que de vivre avec un écrivain, Jean. Vous prenez un clébard et vous en faites un monde... Vous savez ce qui s'est passé l'autre jour? D'abord, l'un des Noirs qui travaillent ici, le plus jeune, a essayé d'empoisonner votre flic. Il lui a foutu assez de strychnine dans sa pâtée pour le faire crever vingt-deux fois. Le chien n'y a pas touché : vous pensez, une pâtée servie par des mains noires...

— Jack, ce n'est pas possible...

— Bien sûr que ce n'est pas possible. La moitié des choses qui arrivent ne sont pas possibles. Je n'étais pas au courant de cette affaire de strychnine. Je suis le patron, alors, on ne me dit rien. Le lendemain, ce gars-là, Terry — dix-huit ans, c'est beau, la jeunesse — est allé trouver Tatum, le gardien. C'est Bill Tatum qui nourrit le chien, parce qu'il est tellement blanc que ça sent bon, paraît-il, à mille lieues à la ronde, à en juger par les mamours que votre flic lui fait. Car vous l'avez deviné, Jean — nous autres, Blancs, nous avons une-petite-odeur-vous-m'en-direz-des-nouvelles. Je vous le prouve *dog-in-hand*, chien à l'appui. Il lui a demandé d'empoisonner votre raciste. Tatum lui répondit qu'il avait soixante-dix ans et qu'il n'avait plus ce qu'il fallait — *he didn't have it in him* — pour empoisonner qui que ce soit. Il n'avait plus de convictions assez puissantes, pour ça. C'était l'âge, le gâtisme, il n'avait plus assez de cœur au ventre. J'ai appris ce qui s'est tramé derrière mon dos uniquement parce qu'il y a eu une bagarre entre Terry et Keys. Keys a sérieusement malmené le jeunot. Ce n'est pas la peine de me demander pourquoi...

— Il est absurde de s'en prendre à une malheureuse bête... Keys est assez intelligent pour le comprendre.

— Non, Jean, vous vous trompez. Keys est beaucoup *plus* intelligent que ça. Il est même tellement intelligent que j'ai parfois l'impression qu'il ne pense pas : il calcule. Ce n'est pas le genre de gars qui médite, c'est le genre qui prémédite. En tout cas, il a fichu une drôle de dérouillée au petit. Et, avant-hier, ce fut le bouquet. J'ai entendu des coups de gueule du côté du vestiaire et je suis allé voir. J'ai trouvé le gars Terry complètement à poil et Keys, un revolver à la main. C'était mon revolver. Terry l'avait fauché dans mon bureau et l'avait caché sous sa chemise. Apparemment, le petit avait l'intention d'abattre votre flic. Voilà où nous en sommes, dans ce pays. Vous vous rendez compte de ce que cette histoire suppose comme accumulation de pus, en profondeur ? Parce que ce n'est même plus un problème racial, ou politique : c'est devenu un problème de folie, de maladie mentale. Alors, vous pensez si j'ai été content lorsque j'ai appris que votre clébard avait pris la fuite...

— Vous ne l'auriez pas un peu aidé ?

— Non. Pas moi. C'est peut-être Bill Tatum ou un autre Blanc, dans un élan de sympathie fraternelle...

Si j'avais été à Paris à ce moment-là, j'aurais certainement reçu un télégramme m'invitant à me rendre à Orly pour recevoir un chien expédié d'Amérique. Mais je me trouvais alors à Hong Kong.

Le problème fut résolu pour Jean d'une manière assez inattendue. Je ne lui reproche pas d'être tombée dans le piège. Je m'y serais sans doute précipité moi-même.

Il était huit ou neuf heures du soir. Jean, qui jouait dans *Airport* aux studios de la M.G.M., se préparait pour un tournage de nuit. Batka et Sandy venaient de se taper à la cuisine un dîner solide et étaient venus s'étendre au milieu du salon. Une auto s'arrêta juste devant la maison, et Batka, immédiatement, annonça la couleur. D'un bond, il fut debout et sauta vers la porte, silencieusement, les dents nues, avant de lancer soudain un de ces hurlements qui semblent venir de la profondeur des âges.

Jean entendit des pas qui s'approchaient. La sonnette n'avait pas encore retenti qu'un changement extraordinaire se produisit dans le chien.

Il rentra la queue entre les pattes et commença à reculer.

Il ne cessait pas d'aboyer. Mais il y avait à présent dans ses hurlements un accent nouveau : celui de la peur et de l'impuissance. Cela prenait la forme de petits jappements plaintifs, presque de gémissements, entre deux aboiements furieux. Et il continuait à reculer.

Jean entrouvrit la porte sans retirer la chaîne : c'était Keys, tout sourire. Très décontracté, avec ce corps fait de souplesse, le visage éclairé par ces petites dents serrées et pointues que je vois si clairement...

— *Hi, there.* Salut.

— *Hi.* Attendez une seconde. Je vais enfermer le chien dans le garage.

Le sourire s'élargit.

— Mais non, ce n'est pas la peine. Il ne me touchera pas.

— Écoutez...

— Je connais bien les animaux, Miss Seberg. Je vous dis qu'il ne me touchera point. On n'est pas encore ami-ami, mais les choses ont changé tout de même. Il y a un petit progrès. Si vous avez une minute...

Jean hésita, puis retira la chaîne. L'hospitalité.

— Vous êtes sûr?

Keys poussa la porte et entra. Les rugissements de Batka redoublèrent de fureur. Mais pour Jean, qui l'avait vu, comme moi, bondir sur l' « ennemi » dans un réflexe instantané à la vue d'un visage noir, le changement était bouleversant.

Keys s'était avancé au milieu du salon et Chien Blanc, sans cesser de hurler, tournait en demi-cercle autour de lui, prenait son élan pour bondir, mais paraissait retenu par une barrière psychique qu'il ne parvenait pas à franchir. Que cela allât à l'encontre de tout son dressage, de tout ce qu'on lui avait appris, de toute sa vie fidèle de chien blanc, on le reconnaissait dans l'accent de ces véritables gémissements de désespoir qu'il poussait entre deux hurlements rageurs...

Chien Blanc avait l'impression de trahir. Jean était debout près de la porte laissée ouverte sur la nuit, avalant sa peur. L'Américain noir se tenait au milieu de la pièce, il avait pris un paquet de cigarettes dans sa poche et faisait sortir à petites chiquenaudes une cigarette du paquet. Il la plaça entre ses dents.

— Vous voyez, il y a du changement, dit-il. *Maintenant, ils ont peur.*

Oui. Je n'invente rien. Jean était sûre d'avoir entendu cette phrase. Maintenant, *ils* ont peur. Si cette phrase presque démentielle dans sa généralisation et ses implications ne vous éclaire pas suffisamment sur ce que les siècles ont accumulé dans l'âme noire, alors ce n'est pas des Noirs que vous vous désintéressez : c'est des âmes.

Les chiens policiers comme Batka sont appelés par les professionnels les « chiens d'attaque ». Presque toujours, ils ont derrière eux une longue lignée, plusieurs générations de bêtes spécialement dressées à l'attaque. Le dressage est ainsi facilité par un atavisme qui devient une véritable nature. C'était contre cet atavisme, contre sa propre nature, que le chien était en train de lutter...

Chien Blanc était sur la défensive. La' haine était là, mais la peur empêchait la bête d'attaquer. Il s'avançait parfois de quelques centimètres, par petits bonds, presque sur place, au rythme de ses aboiements, mais reculait aussitôt. Son poil était hérissé, ses oreilles aplaties et il y avait à présent dans ses hurlements les échos d'un véritable dédoublement psychique où se reconnaissait le désespoir du chien fidèle qui se sent coupable de forfaiture...

Chien Blanc savait qu'il trahissait *les siens*...

Keys allumait sa cigarette.

Jean devait me dire plus tard qu'il y avait quelque chose d'ignoble dans tout ça. « D'abord le rire de Keys : c'était un rire victorieux. Il y a tout de même d'autres triomphes, et celui-ci n'était pas plus beau à voir que n'importe quelle victoire par la terreur... Car la première question qui me venait à l'esprit, c'était : comment s'y était-il pris ? Par la torture ? Le plus pénible, c'était la vue de ce chien affolé et désorienté, désobéissant à ses propres réflexes, terrifié, perdu, embrouillé, piégé, aux prises avec l'humain, ce chien *historique*... C'était odieux et insupportable. Je détestais presque Keys à ce moment-là, mais d'une façon impersonnelle, comme on déteste. *tout ça*. On ne peut tout de même pas toujours tout rejeter sur la société. Il y a des moments où vous êtes un salaud pour votre propre compte. La pieuse intention de « récupérer » le chien, de le « guérir », n'était pour rien dans tout cela. C'était une affaire entre hommes... »

Elle dit, sèchement :

— Je vois que vous lui avez laissé un souvenir ineffaçable.

— Légitime défense, dit-il. Mais je ne l'ai battu vraiment qu'une fois, quand j'avais un peu perdu la tête. Il s'est habitué à moi, c'est tout. Il m'arrive de rester deux ou trois heures dans sa cage, avec mes vêtements de protection, et il apprend ainsi la résignation... Il commence à comprendre qu'il ne peut rien me faire, qu'il ne se débarrassera pas de moi, que c'est comme ça... Il sait qu'il ne me fait plus peur, qu'il a perdu...

Plus tard, à la lumière de ce qui suivit, il m'est arrivé souvent de poser à mes amis la question : qu'auriez-vous fait à notre place? L'affaire s'était ébruitée, et de nombreuses personnes bien ou mal intentionnées téléphonaient pour dire à Jean qu'elles seraient très heureuses de prendre le chien chez elles. Il ne pouvait en être question, car, sans jeu de mots, ces propositions étaient tout de même un peu trop cousues de fil blanc. La plupart des amis à qui j'avais posé la question répondaient qu'à notre place ils auraient fait piquer le chien et qu' « il y a tout de même une limite à la sensibilité ». Je ne suis pas de cet avis. Je trouve au contraire que nous voyons autour de nous constamment la preuve qu'il n'y a que trop de limites à la sensibilité. Je refuse, pour ma part, de céder à l'escalade moderne de la désensibilisation. Je refuse de dévaluer face à l'inflation, d'admettre que cent francs de souffrances ne valent plus qu'un franc, autrement dit, qu'il faut aujourd'hui cent morts là où un seul vous aurait suffi hier.

Jean hésitait. S'il y a une chose que je comprends, chez les natures généreuses, c'est ce besoin de faire confiance qui peut passer pour de la faiblesse, cette façon de *donner des gages.* Je ne suis pas une nature généreuse puisque je ne pardonne jamais rien et oublie encore moins. Mais il m'est arrivé d'être volé par un escroc uniquement parce que celui-ci avait une sale gueule. J'éprouvais le besoin de me faire pardonner mon antipathie instinctive et je signais un contrat avec lui.

— Bien sûr, dit Keys, si vous voulez le vendre, vous pouvez tirer du toutou dans les huit cents dollars. Ce n'est pas seulement un chien de garde. C'est un chien d'attaque. *An attack dog.* Ils sont très recherchés.

— Oh, ça va, Keys. Ne faites pas de la provocation. Je suis dans le coup, vous savez.

Il prit un air respectueux, sans trace d'ironie.

— Je sais, vous nous avez beaucoup aidés. Les gens comme vous, Burt Lancaster, Paul Newman, Marlon Brando... Je sais.

A l'intérieur, il devait crever de rire. Mais il tenait à son idée, le démon. La haine et la rancune ont un dynamisme prodigieux, elles soulèvent les montagnes, on a bâti de beaux pays comme ça. C'est du solide.

Jean avait pris sa décision. Encore une fois, elle allait faire confiance. Seberg est une femme comme ça, rien ne la changera.

— Entendu. Vous pouvez ramener l'animal au ranch, puisque apparemment c'est ça que vous venez demander. Si Jack l'accepte.

— Il l'acceptera. Le personnel entraîné est difficile à trouver, par les temps qui courent. Et pour les reptiles, il ne trouvera personne. Ça prend des années pour être vraiment immunisé. Moi, une vipère peut me piquer, ça ne me fait aucun effet. Il n'y a que deux types dans toute la Californie qui ne tournent pas de l'œil lorsqu'on leur met un corail dans les bras.

— Pourquoi y tenez-vous tellement?

Il secoua la tête en riant.

— *There, you've got me.* Là, vous me tenez. J'ai toujours aimé les bêtes, depuis que j'étais môme. C'est pour ça que j'ai choisi ce métier. Bientôt, j'aurai mon chenil à moi. Je vais m'établir à mon compte. Je suis un professionnel, un vrai. Si je réussis avec ce toutou, ça voudra dire que je suis le meilleur. *Yes, ma'am.* Le meilleur...

Tout cela devait se passer dans une odeur de roses. Je dois laisser derrière moi un vide extraordinaire, parce que dès que je pars, je suis immédiatement remplacé par des dizaines de bouquets de roses. Il en vient de tous les côtés. Avec des cartes de visite. C'est très flatteur de savoir que, dès que vous quittez votre ravissante épouse, un nombre impressionnant d'individus se précipitent chez les fleuristes pour tenter de remplacer le parfum envolé.

— Encore une chose, Keys. Je sais qu'un de vos collègues a essayé de tuer le chien. Vous êtes sûr qu'il ne va pas recommencer?

— Terry? Il a compris. Je lui ai mis les points sur les *i*. D'ailleurs, il est là-dehors, dans la voiture. Je le ramène chez lui. Vous voulez lui parler?

Le gars était là en effet, appuyé contre la bagnole, à compter les étoiles. Dix-huit ans. La génération qui monte.

— Vous pouvez être tranquille, Miss Seberg. C'est bête, ce que j'ai fait. Je vous promets que ça ne se reproduira plus. Pas question. Vous pouvez compter sur nous.

Et voilà. Le lendemain, Jean ramenait Batka au ranch. J'aurais fait la même chose à sa place. Au contact de la Seberg, il m'arrive de retrouver un peu de cette candeur

66

qu'il faut pour gagner en sachant perdre. J'entends par là qu'il faut continuer à faire confiance aux hommes, parce qu'il importe moins d'être déçu, trahi et moqué par eux que de continuer à croire en eux et à leur faire confiance. Il est moins important de laisser pendant des siècles encore des bêtes haineuses venir s'abreuver à vos dépens à cette source sacrée que de la voir tarie. Il est moins grave de perdre que de se perdre.

Je devais être à ce moment-là quelque part entre Pnom Penh et Angkor Vat.

DEUXIÈME PARTIE

VI

Quarante-huit heures après mon retour à Paris, un journaliste de *France-Soir* vient m'annoncer que le frère de Jean vient de se tuer en auto. Dix-huit ans. Je reprends aussitôt l'avion pour me joindre aux Seberg à Marshalltown, dans l'Iowa, au cœur de ce Middle West qui est sans doute ce qu'il y a encore de plus « Amérique de papa » en Amérique. Au cours du triste défilé de braves gens qui viennent exprimer leur sympathie à la famille, j'entends parler de « l'autre drame » qui vient d'endeuiller cette petite ville de vingt mille habitants : une jeune fille « bien », dont les parents sont très respectés ici, a épousé un Noir. Le père en est mort, la mère ne vaut guère mieux, c'était pourtant des gens si méritants, *such nice people...* L'idée qu'on puisse voir dans un mariage « mixte » une horreur du même ordre que la mort tragique d'un adolescent me met hors de moi. J'essaie de me retenir, mais qui ne dit mot consent, je ne vais tout de même pas rester là, l'air peiné, à opiner du bonnet, simplement parce que ma peau plus ou moins blanche me cache bien ? La provocation est ma forme de légitime défense préférée. Je dis à mes interlocuteurs que je comprends mieux que personne cette « tragédie » car ma première femme, épousée en 1941, était une négresse

71

africaine qui marchait encore toute nue : c'est presque vrai d'ailleurs, sauf que dans le Chari, pendant la guerre, ces mariages-là se célébraient à la mode des tribus, et le père m'avait donné sa fille en échange d'un fusil de chasse, de vingt mètres de tissu et de cinq pots de moutarde. Un silence consterné tomba sur les amis de la famille : on croyait ici que Jean Seberg avait épousé un homme distingué. Jusqu'au-boutiste, comme toujours, je m'enfonce de plus en plus : je leur explique que j'ai, de ma négresse, un fils de vingt-six ans, qui est membre du Parti communiste français. Quelques-uns de mes interlocuteurs essayant de fuir, je lance le mot magique « de Gaulle » pour les retenir. Je suis sur le point de leur dire que de Gaulle a du sang noir, mais je me domine, je n'ai tout de même pas le droit d'enjuiver la France, enfin, vous voyez ce que je veux dire. Je me contente donc de les informer que de Gaulle avait été témoin à mon mariage à Bangui et qu'il est parrain de mon fils nègre communiste français. Un grand silence blanc tombe sur ces braves gens, et les condoléances qu'ils présentent à ma belle-famille redoublent de sincérité.

Je ne devrais pourtant pas leur en vouloir : ils ont des siècles d'esclavage derrière eux. Je ne parle pas des Noirs. Je parle des Blancs. Ça fait deux siècles qu'ils sont esclaves des idées reçues, des préjugés sacro-saints pieusement transmis de père en fils, et qu'ils ont pieds et poings liés par le grand cérémonial des idées reçues, moules qui enserrent les cerveaux, pareils à ces sabots qui déformaient jadis dès l'enfance les pieds des femmes chinoises. J'essaie de me dominer, pendant qu'on m'explique une fois de plus que « vous ne pouvez pas comprendre, vous n'avez pas dix-sept millions de Noirs en France ». C'est vrai : mais nous avons cinquante millions de Français, ce qui n'est pas jojo non plus. « Comprenez bien qu'il ne s'agit pas de brimer nos Noirs. Nous tenons à ce qu'ils jouissent de tous leurs droits. Mais le mélange des races ne réussit jamais. »

Cette nuit-là j'ai tenu dans mes bras ma jeune femme secouée de sanglots, et sa détresse était pour moi ce reproche personnellement ressenti que connaissent bien ceux chez qui la virilité est avant tout un besoin de protéger, de défendre et de remédier. Jamais, dans mes frustrations, tout ce qui fait de moi un homme n'interpella avec plus de rageuse et vaine sauvagerie ce qu'à défaut de mot plus ignoble nous appelons le destin : cette bataille perdue qu'il ne nous est même pas permis de livrer.

Au cours des jours qui suivent, j'entends parler une fois encore de « l'autre drame », et l'inévitable arrive : ma laisse lâche et je dis à mon hôte qu'avec sa tête d'inachevé et cet air d'assiette vide de nombreux Blancs comme ces dirigeants soviétiques que Pasternak traitait de « ronds », il devait miser à fond sur les Noirs, afin qu'ils donnent à sa progéniture un peu de couleur. Je quitte les lieux dans un silence de porcelaine psychologique brisée et roule à travers les champs de maïs, en essayant de me rappeler que j'ai cinquante-quatre ans et qu'avec toutes ces cicatrices dont ma carcasse et ma belle âme sont marquées, j'aurais dû apprendre un peu de résignation. Je me demande si la résignation est compatible avec une vie sexuelle normale. Comme la sagesse, elle doit vous venir *après*.

Des études psychiatriques ont démontré depuis longtemps que la crainte sexuelle joue un rôle souterrain étrange dans les rapports entre Blancs et Noirs. La légende de l'outil noir a, à cet égard, quelque chose de profondément cocasse.

Lorsque j'étais consul général à Los Angeles, de 1956 à 1960, je fus amené à faire pour notre ambassade plusieurs rapports sur le problème racial en Californie. A force de m'entendre dire de tous les côtés que la crainte « dimensionnelle » était un élément important dans la haine qu'inspiraient les Noirs, les Blancs se sentant dans ce domaine en position d'infériorité, je fis procéder par un institut d'opinion local à un sondage auprès de plus de cent vingt call-girls de Los Angeles aussi bien blanches que noires.

Les résultats furent aussi ahurissants que peu concluants.

La plupart des professionnelles blanches interrogées avaient répondu affirmativement à la question : « Dans votre expérience, avez-vous remarqué que votre partenaire noir était plus " grand " que votre partenaire blanc? », mais la plupart des Noires n'avaient rien remarqué de spécial chez les uns comme chez les autres : selon elles, cela variait avec les individus. Notre ambassadeur, à l'époque, était M. Couve de Murville, qui aime les rapports clairs et précis, et je n'ai donc pu lui fournir rien de bien défini sur ce sujet. La plus belle des réponses fut fournie par une jeune femme que j'ai ensuite demandé à rencontrer. Sur la feuille d'enquête elle avait écrit : « Ce n'est pas la quantité, c'est la qualité qui compte. Et puis il y a le *sentiment*. » La première partie de la réponse pouvait être attribuée à la fierté professionnelle de l'artisan et à l'amour du travail bien fait, mais la phrase « et puis il y a le *sentiment* » m'avait ému. Je me demandais si je n'avais pas enfin rencontré la femme de ma vie. Après quelques grimaces du Poll Service, j'ai obtenu son nom et je l'ai invitée à déjeuner chez Romanoff. C'était une jolie fille de vingt-trois ans qui passait son temps libre à préparer un diplôme de jardinage à l'université de Californie Comme il n'y a rien de plus bouleversant pour un intellectuel que de rencontrer une putain qui fait des études à la Sorbonne, ou son équivalent californien, j'avais senti vraiment passer sur moi le vent de la grâce. Nous n'en étions encore qu'au melon que nous parlions déjà littérature et, au dessert, le mot « existentialisme » fut prononcé. Les putains américaines ont vingt ans de retard. Chez nous, elles parleraient de structuralisme et de Michel Foucault. Je ne lui demandai point pourquoi elle faisait ce « métier », car il n'est point de sot métier. Je fus tout de même un peu dégrisé lorsque j'appris que ma belle était mariée, mère d'une fillette de cinq ans et que son mari — depuis, il est devenu producteur de télévision à New York — la conduisait lui-même de client en client dans son taxi. Je fus saisi d'un profond abattement : ce n'était nullement une crise de morale, mais le sentiment que je me faisais vieux, et que les jeunes générations me dépassaient à toute vitesse. Je fus définitivement mis K.O. au dessert en apprenant que cette fille, qui « faisait » une dizaine de clients par jour, ne fumait pas et ne buvait pas de café. Elle appartenait en effet à l'Église mormone, et le café et le tabac lui étaient défendus. C'était en 1959. Ce couple-là était au moins en avance de dix ans sur son temps. J'avais demandé à mon ami, le professeur Goldberg, pourquoi, selon lui, les prostituées blanches, dans une proportion de près de quatre-vingt-dix pour cent, avaient affirmé que les Noirs étaient plus « forts », et pourquoi leurs consœurs noires avaient affirmé à peu près dans la même proportion qu'il n'y avait pas de différences dimensionnelles entre les Noirs et les Blancs. Selon cet éminent psychanalyste, les Noires, par crainte des Blancs, avaient cherché à rassurer ces derniers sur leur potentiel et les Blanches, par rancune contre « leurs » hommes, avaient au contraire cherché à les « diminuer ». C'est possible. Mais le fait demeure que je n'avais pu éclairer sur ce point M. Couve de Murville, lequel, je m'empresse de le dire, n'avait nullement sollicité ce renseignement.

Je ne cesse d'ailleurs d'être étonné par cette obsession « dimensionnelle » aux États-Unis, surtout chez les écrivains. De Mailer à James Jones, de Faulkner à Hemingway et à Philip Roth, cette préoccupation de l'adulte américain intelligent pour son zizi se manifeste d'une manière qui finit par évoquer quelque gigantesque castration. L'exemple le plus pathétique et le plus désolant se trouve dans le récit que Hemingway fait dans *Paris est une fête*, à propos de Scott Fitzgerald. Ce dernier était, paraît-il, torturé par l'idée qu'il était « petit ». Hemingway, après avoir examiné la chose, avait assuré son aîné qu'il était parfaitement bien constitué et, pour écarter tout doute là-dessus, il avait traîné son ami au Louvre afin de lui montrer les dimensions phalliques des statues grecques. Comment deux adultes, deux des plus illustres écrivains de leur temps, ont-ils pu en venir là ? Quelle est l'angoisse profonde que cache cette obsession américaine que je n'ai jamais rencontrée dans un autre pays ? Et puis, ainsi que l'a si justement remarqué le Révérend Père Charrel, Hemingway lui-même ignorait-il que les dimensions au repos ne veulent rien dire et que seule compte dans ce domaine la noblesse de l'extension ?

Peut-être convient-il de voir, dans ce souci, une simple manifestation du perfectionnisme américain lorsqu'il s'agit des gadgets, leur préoccupation pour le plus puissant, le dernier et le meilleur modèle ?

Je crains cependant que la raison n'en soit plus profonde. Pris dans la complexité d'un univers qui lui échappe et dans les engrenages automatiques et implacables d'une société de plus en plus dominatrice et écrasante, l'homme américain entraîné plus que tout autre dans les circuits préfabriqués d'une existence artificielle, l'individu à qui tout échappe de plus en plus, cherche à retrouver en lui quelque rassurante force élémentaire. Désorienté et impuissant à s'affirmer, simple jeton introduit dans les circuits de distribution de la machine sociale qui en fait un objet produit par un dressage utilitaire, formé par la machine pour la machine, l'homme des passages cloutés et de la bureaucratie de vivre ne voit plus d'autre possibilité d'affirmer sa «puissance» que l'érection. La vague de pornographie en cours, les acteurs exhibant leurs attributs en scène, c'est un défi, une pauvre volonté de « s'affirmer » chez celui qui, dans tous les sens du terme, au point de vue idéologique, philosophique, moral, lutte contre la castration. Une chose en tout cas est certaine : *the American dream is becoming a prick*. Le « rêve américain » est en train de devenir une...

La « proclamation phallique » est un signe de désarroi, d'anxiété et d'incertitude. Alors que toutes les valeurs s'effondrent, jouir est une certitude qui vous reste. Je me souviens qu'aux heures les plus noires de la guerre, avant d'aller se faire tuer, les soldats sortaient des bordels en disant : « Encore un coup que les boches n'auront pas. »

Dans un tel contexte psychologique, le « géant noir », celui des stades, des pistes cendrées, du football, du baseball, l'« Africain », de trois générations à peine éloigné de la jungle, le « tigre », la « panthère » devient probablement un symbole envié, donc redouté et haï.

L'exhibitionnisme sexuel est un des aspects les plus

comiques de ce « retour aux sources » qui est sans doute un des plus vieux rêves humains, avec le paradis perdu. Plus l'intelligence se sent impuissante à résoudre et à s'imposer, et plus le coït devient l'ersatz de solution. Il suffit de lire la littérature américaine d'aujourd'hui pour constater que tout se passe comme si tous les Philip Roth, les Norman Mailer et tant d'autres hommes de talent regardaient dans le noir leur zizi en état d'érection en murmurant : « *Look, Ma, no hands!* » « R'garde, m'man, j'suis un dur! »

VII

Jean doit commencer immédiatement un film à Washington et nous quittons Marshalltown trois jours après les obsèques. Mais le frère tué est encore là et sera là encore pendant longtemps, et je le vois réapparaître dans ces larmes soudaines qui éveillent en moi cette belligérance aux poings serrés et vides, comme chaque fois que je me heurte à l'irrémédiable. Le redresseur de torts enfantin que je cache en moi, le protecteur universel, le bras droit de la Justice, se sent réduit une fois de plus à cet état de rage intérieure, de hargne et de haine de soi-même qui s'empare de tous les rebelles lorsqu'ils sont obligés de murmurer les mots : « Qu'est-ce que tu veux, on n'y peut rien. » Je lui prends la main, sublime réconfort, et lui demande des nouvelles de notre ménagerie. J'apprends que notre fils, cinq ans à peine, mais cédant déjà sans doute comme son père au goût de l'introspection et peut-être aussi au conseil de Socrate : « Connais-toi toi-même », avait avalé un mètre-ruban en essayant d'explorer ses profondeurs, et il fallut l'amener à l'hôpital. Les chats vont bien.

— Et Batka?

Le visage de Jean s'assombrit. Elle a gardé cette spontanéité des expressions et une sincérité dans les aveux des états d'âme, avec ces passages rapides du sourire à la tristesse qui sont comme la dernière trace de l'enfance...

— *I don't want to talk about it...* Je ne veux pas en parler.

Je me raidis.

— Keys l'a tué?

— Non.

Elle se tait, regarde en bas les montagnes grises et rouges...

— Écoute, Jean...

— D'abord, il l'a affamé. C'est-à-dire, Batka refuse la nourriture lorsque... lorsque c'est un Noir qui la lui apporte. Le chien est devenu un squelette. Il y a eu une engueulade terrible entre Jack Carruthers et Keys parce que Jack était allé nourrir le chien lui-même... « Il acceptera la nourriture de mes mains, ou il bouffera pas du tout... », voilà la position de Keys. Carruthers m'a appelé, il hurlait au téléphone, et j'entendais ses coups de poing contre le bureau..., oui, Jack Carruthers, un type qui a tout vu et qui ne se met jamais en colère, disent-ils... tu parles. Il hurlait au téléphone, en tapant sur la table, bang! bang! bang! : « Enlevez-moi cette saloperie de bête ou je la pique ce soir même... Vous comprenez, Jean, débarrassez-moi de ça... »

Débarrassez-moi de ça...

Je les vois mal déportant dix-sept millions de Noirs en Afrique.

— Alors?

— J'ai dit, d'accord. J'ai pris ma voiture et je suis allée au chenil. Seulement, voilà. Keys ne veut pas qu'on lui enlève le chien.

— Qu'est-ce que tu racontes?

— Il ne veut pas rendre le chien. Lorsque je suis arrivée, Keys est entré dans le bureau de Jack et j'ai cru qu'ils étaient devenus fous, tous les deux. Jack Carruthers, le roc, l'homme de glace, à deux doigts d'une crise d'hystérie, tu peux t'imaginer ça? Non. Eh bien, je l'ai vu, moi. Et Keys ne valait guère mieux. Jack gueulait, il avait des tics nerveux effrayants, sur ce visage à demi paralysé, et Keys, chaque fois qu'il ouvrait la bouche pour parler, d'abord, il ne pouvait pas dire un mot, et quand il y parvenait, c'était comme s'il recollait des bouts de voix cassés, voilà ce que ça donnait. « On n'a pas le droit de faire crever de faim cet animal, gueulait Carruthers. Pas chez moi. Pas ici. D'abord, je n'admets pas ces méthodes de dressage. — Et quelles sont les méthodes de dressage que vous admettez? braillait Keys, en s'étranglant. Celles qu'on a pratiquées sur ce toutou dans le Sud? » J'ai vraiment cru que « Noé » Jack allait avoir une crise cardiaque. Son visage rapiécé était tellement tendu que j'avais peur que ça craque. Toute sa tête était devenue comme un poing fermé. Il rentra sa voix, tu sais, comme lorsqu'on fait un effort terrible pour se retenir, et quand il a parlé, c'était comme s'il parlait à dix mètres sous terre. « *Listen to me*. Écoutez, Keys. Accusez-moi de racisme, et je vous donnerai raison. » Keys restait là, la gueule béante d'étonnement. « *Je suis* raciste. Seulement pas comme vous autres, Blancs ou Noirs. Je suis raciste parce que toute votre putain d'espèce humaine me sort depuis longtemps par le derrière, que vous soyez jaunes, verts, bleus, ou chocolat. Il y a trente ans que j'ai choisi les bêtes. » Ils s'étaient calmés un peu, tous les deux. « Vous ne pouvez pas remettre ce chien en circulation, dit Keys. Il faut d'abord le soigner. — C'est un chien *gâté*, *vicié*, Keys, et vous le savez parfaitement. Il est irrécupérable. On peut plus le changer. — Laissez-moi faire. — Vous l'affamez et vous l'assoiffez. C'est du sadisme. Vous êtes en train de vous venger sur ce chien contre ses maîtres... » Keys est devenu gris de rage. « Les maîtres, je ne vais pas chercher leur chien pour me venger d'eux... je vais les chercher eux-mêmes. Avec mon revolver. » J'essayai d'intervenir, mais tu penses... Jack a braqué son doigt vers moi. « Je veux qu'elle emmène cette bête. D'abord, le chien va crever de faim. Ça se saura. On dira que Jack Carruthers dresse les bêtes par la torture. J'aurai la S.P.A. sur le dos. Leur inspecteur m'a déjà posé des questions. J'ai dû mentir. J'ai dit que le chien était malade, qu'il ne mangeait rien. Ça risque de foutre ma réputation par terre. » C'était un argument que Keys comprenait apparemment — *it's bad for business*, c'est mauvais pour les affaires — parce qu'il fit un geste d'approbation. « Je sais. Tout ce que je vous demande, c'est de me laisser faire encore une quinzaine de jours. Le chien ne crèvera pas. Il est drôlement solide. » Keys dit alors quelque chose de vraiment curieux. Il dit : « C'est un beau chien. » C'était tellement sincère que Jack ne savait plus quoi répondre, visiblement. « Bon », fait-il. Là-dessus, Keys s'en va, et Jack se tourne vers moi. « Vous y comprenez quelque chose ? Il y tient vraiment, à ce chien. Pourquoi ? Pourquoi veut-il tellement le *guérir* ? Keys est un musulman noir. Chez eux, à ce qu'il paraît, on vous paie un voyage à La Mecque chaque fois que vous ramenez cinq scalps de Blancs. La haine à l'état pur, quoi. Très bien. Alors, qu'est-ce qu'il veut prouver, avec ce chien ? Qu'on peut guérir *la haine* ? Que c'est seulement le résultat d'un dressage, que ça se soigne ? Bon, mais alors pourquoi ne se soigne-t-il pas lui-même, Keys? » Je lui ai dit, je crois, que le mot « haine » ne s'appliquait qu'aux signes cliniques, mais que le mal lui-même était une névrose profonde, contagieuse et... enfin, tu vois. Jack ne m'écoutait pas. « Ce chien rend tout le monde dingue, voilà », dit-il.

Je me sentais entièrement du côté de Keys.

— Je suis convaincu que le chien est récupérable.

Je crois que je me suis rarement autant trompé sur un homme. J'attribuais à Keys mes propres petites fermentations idéalistes et nostalgiques, ces trémolos, la larme à l'œil, d'un « Aimez-vous les uns les autres » qui n'exclurait ni les chiens ni les hannetons tombés sur le dos et que l'on remet sur pattes, cet espèce d' « Ave Maria » éternel de la sensibilité, de la fraternité et de la bonté — quand je pense que je vais publier ce récit et qu'on va trouver ces mots sensiblards sous ma plume, j'entends déjà le rire moqueur des rationalistes intégraux, sans marge, sans fanfreluches humanitaires, les vrais durs, les vrais de vrais, ceux qui ont bâti le monde, car ce sont, ne l'oublions pas, les hommes forts qui ont bâti le monde, à croire que le salut ne peut venir que de la féminité...

VIII

Nous atterrissons à Chicago. Deux grands magasins du genre *Bon Marché* sont en train de brûler à la périphérie du quartier noir. Incendie criminel. Dans la salle d'attente, quelques passagers noirs et blancs regardent la fumée monter sur l'écran de la télé. La jeune hôtesse derrière le comptoir a des larmes aux yeux.

— Comment cela va-t-il finir ? Toute notre culture est en train de crouler...

On emploie ici « culture » dans le sens de « civilisation ». Je ne veux d'abord voir que le côté positif de l'affaire : une petite Américaine du Middle West derrière le comptoir d'une miteuse ligne aérienne me parle « culture » et se rend parfaitement compte de l'enjeu.

Nous regardons les magasins cramer à l'écran. Ça date de ce matin, c'est tout frais, et je me sens bien. Je me sens bien parce que j'aime l'Amérique. Je suis heureux de voir qu'elle bouge, qu'elle a mal, qu'elle va peut-être se réveiller. Le Viêt-nam est la pire chose qui pouvait arriver au Viêt-nam, mais la meilleure chose qui pouvait arriver à l'Amérique : la fin des certitudes, la remise en question, la sommation à la métamorphose. Je ne sais pas ce que sera la nouvelle Amérique, mais je sais que l'explosion noire l'empêchera de pourrir sur pied dans l'immobilisme des structures sclérosées aux sapes invisibles. L'Amérique sera sauvée par le défi noir, ce *challenge* dont parle Toynbee, que les civilisations relèvent en se transmutant. Ou bien elles périssent.

Un porteur noir à casquette rouge, à côté de la jeune hôtesse, hoche la tête.

— C'est encore *eux* qui ont fait ça.

Eux. Il prend ses distances. La jeune femme essuie ses larmes. Elle me regarde avec cette confiance qui va ici spontanément vers les détenteurs d'une sagesse séculaire, les Européens. J'ai envie de prendre ma couronne de Français et de la frotter un peu pour la faire briller davantage.

— Vous croyez que ça va s'arranger? me demande-t-elle.

Je me méfie un peu des choses « qui s'arrangent ». Cela fait parfois deux vaincus au lieu d'un seul.

— Écoutez, lui dis-je. Vous pouvez dormir sur vos deux oreilles : ça ne va pas s'arranger. La guerre de Sécession ne s'est pas arrangée non plus, heureusement pour l'Amérique. Une minorité de Noirs essaie de libérer les Blancs de l'esclavage, et ce n'est pas facile de faire sauter des étaux qui encerclent les cerveaux depuis deux siècles. De deux choses l'une : ou bien les Noirs réussissent, et l'Amérique changera, ou bien ils ratent, et l'Amérique changera aussi. Vous ne pouvez pas perdre.

Il y a une demi-douzaine de Noirs et une quinzaine de Blancs dans la salle d'attente, et ils regardent les maisons brûler sans échanger une parole. Il y a une chose que les journaux ne disent pas : on ne voit *jamais* aux États-Unis ce qu'on appelle en France en langage journalistique

« une discussion qui dégénère en bataille rangée ». A l'origine de toutes les flambées de violence, il y a ou bien une maladresse ou une brutalité policière, ou bien une fausse nouvelle, ou bien une provocation. Jamais une *discussion*...

— Je voudrais aller en Europe, dit la petite.

Ma femme lui griffonne aussitôt notre adresse à Paris. Je frémis. Seberg passe son temps à donner notre adresse à tous les jeunes paumés américains qui croient que l'Atlantide, ça existe, ce qui explique pourquoi j'ai trouvé un jour six beatniks endormis dans des sacs de couchage dans notre appartement, rue du Bac. L'un d'eux avait notre adresse depuis quatre ans, et il l'avait partagée avec des amis. Il y a des gens qui ne comprennent absolument rien aux gestes symboliques.

Nous arrivons à Washington dans l'après-midi, accueillis par les cerisiers en fleur. Washington est une de ces villes, comme Los Angeles, qu'on ne trouve jamais là où elle devrait être. Ce n'est pas une ville, ce sont des quartiers à la recherche d'une ville. Mon dernier voyage ici date du temps où j'étais consul général à Los Angeles. Couve de Murville fut mon premier ambassadeur ici, et je suis probablement le seul homme au monde à penser à Couve de Murville à la vue des cerisiers en fleur. Un bref moment de nostalgie. Je ne peux pas dire qu'il me manque, Couve de Murville n'est pas un homme dont on puisse dire qu'il vous manque, mais j'appréciais sa froideur bien habillée et cet air glacial qui dissimule sans doute des violences secrètes et un tumulte intérieur excessivement contrôlé, que ne trahissent que de fugaces agacements.

Le soir même, dans le taxi qui nous emmène dîner, nous entendons à la radio l'annonce de l'assassinat de

Martin Luther King. Le chauffeur est un Noir. Jean devient tellement pâle que le chauffeur, par contraste, me paraît encore plus noir. Agrippé au volant, il me demande de lui répéter l'adresse du restaurant. Je lui répète l'adresse. Il continue à rouler droit devant lui, puis, de nouveau, d'une voix étouffée :

— *What was that address again?* Quelle adresse, vous dites ?

Ce n'est pas la peine de répondre. J'attends qu'il se ressaisisse. Nous tournons en rond autour des cerisiers en fleur baignés de tous côtés par la lumière des projecteurs qui leur donne un air irréel de ballets pétrifiés.

— Quelle adresse, vous avez dit ?

— Est-ce que c'est un Blanc qui l'a tué ? demande Jean. Malcolm X avait été tué par les Noirs, les musulmans noirs, l'organisation dirigée par cette vieille pute d'Elijah qui a engrossé je ne sais combien de ses « fidèles » et que la marche triomphante de Malcolm commençait à menacer. Un milliardaire pétrolier d'extrême droite, H., incarnation même de la race blanche et de sa défense en Amérique, avait versé, dit-on, des sommes substantielles aux musulmans noirs, escomptant, à juste titre d'ailleurs, que la naissance des ligues racistes noires allait « réveiller » les Blancs.

— Est-ce que c'est un Blanc ?

Le chauffeur ne répond pas. Je lui dis de retourner à l'hôtel. Je sens que son dos voûté est en train de nous haïr : ce n'est pas personnel, mais nous sommes la première chose blanche qui lui tombe sous la main. Éclairés délicieusement par les projecteurs, les cerisiers autour de nous ont pris maintenant l'air de ces gens qui se trompent de jour et arrivent en tenue de soirée à une fête qui n'aura

lieu que le lendemain. Le chauffeur nous dépose à l'hôtel.
Je lutte contre la tentation de lui donner un trop gros
pourboire, simplement parce qu'il est un Noir et que
Martin Luther King vient d'être assassiné.

— Ça va sauter, dit Jean.

IX

Ça saute dès le lendemain. A deux heures de l'après-
midi, on compte déjà près de sept cents incendies, dont
plusieurs à deux rues de la Maison-Blanche. Comme toujours, les jeunes émeutiers brûlent surtout leurs propres
maisons, ce qui fait, pour chaque boutique tenue par un
Blanc, cinq familles noires sans abri. Un antiquaire juif
à barbe blanche dont le magasin vient d'être saccagé
apparaît sur l'écran de la télé.

— Je ne leur en veux pas. Il faut les comprendre...

Les Juifs sont particulièrement visés, d'abord parce que
la moitié des magasins leur appartient, et ensuite parce
que les Noirs ont besoin des Juifs comme tout le monde.

Un autre Blanc indéfini, grec, italien ou arménien, est
filmé devant la vitrine brisée de sa bonneterie où traîne
encore un caleçon long qui semble offrir son derrière.
« Pourquoi la police n'a-t-elle pas tiré? C'est honteux, les
agents sont restés dans les voitures alors qu'on pillait mon
magasin sous leur nez. » Il aurait voulu voir des gosses de
quinze, seize ans tués pour quelques caleçons. Sans doute
étaient-ils d'une qualité supérieure.

Le maire de Washington, qui s'appelle Washington et
qui est un Noir, a défendu à la police de tirer sauf si des

vies humaines étaient en danger. J'apprends par les journaux que mon ami Selvin Dressler vient d'être poignardé dans une cabine téléphonique, alors qu'il prenait des photos. Quelle idée de se réfugier dans une cabine téléphonique, où l'on est coincé comme un rat! La télé montre des scènes de pillage filmées par des reporters noirs. En quelques heures, une sorte de congolisation de la ville commence à se faire sentir. Le *Hilton* où nous sommes descendus ressemble à un paquebot de luxe à la dérive; le personnel entièrement noir n'a pas osé traverser son propre quartier pour venir au travail. Avec cette extrême fragilité des grandes villes américaines — après une tempête de neige à New York, les bébés commencent à manquer de lait et la vie est paralysée —, les restaurants ferment, faute de provisions, les ordures s'accumulent en tas qui grandissent à vue d'œil — ces montagnes d'ordures qui sont toujours le premier signe des civilisations en panne. Les fumées des incendies dans le ciel déferlent sur les quartiers parfaitement à l'abri du « danger », mais où l'on fait courir le bruit qu' « ils sont sortis ». La circulation est insensée : tout ce qui a une voiture cherche à fuir cette ville où les Blancs sont à peine quarante-sept pour cent et qui est entièrement cernée par la ceinture noire. Le taux de criminalité est extrêmement élevé dans la capitale. Une dame distinguée de cinquante-cinq ans, « hôtesse » célèbre par ses réceptions mondaines, a été violée par des Noirs en plein jour, en plein centre, dans un square où elle promenait ses chiens. Une maîtresse femme : elle avait ensuite confié à notre ambassadeur qu'elle avait eu très peur pour ses chiens que les trois voyous menaçaient de tuer.

Dans le hall du *Hilton*, les touristes du festival des Cerises sont assis sur leurs bagages, en attendant que les autocars les emportent vers des avions dont les services sont triplés et quadruplés. Les visages sont défaits, les réactions hors de toute proportion avec le danger parfaitement inexistant. Le moins qu'on puisse dire, c'est que l'Amérique a peut-être trouvé ses nouveaux Peaux-Rouges, mais certainement pas ses nouveaux pionniers... Heureusement, en me promenant parmi les cerisiers abandonnés, je tombe sur un couple d'Américains selon mon cœur, tels que je les aime. A eux deux, ils doivent bien avoir dans les cent cinquante ans. La vieille dame est en train de photographier un cerisier particulièrement opulent et je vous jure que l'arbre a l'air de poser. Son mari lui-même ressemble à un arbre sec à l'écorce ridée, qu'aucun printemps ne fera plus jamais fleurir. Ses yeux bleus et gais me regardent d'un air complice.

— Vous comprenez, avec toute cette pagaille... *with all that mess...* ici, on a la paix... *we have it all to ourselves.* Nous avons tout le parc pour nous seuls.

Je leur dis :

— *I love you*, et les laisse à leurs cerisiers.

Dans la soirée, la situation « se dégrade », quoi que cela veuille dire, à un tel point que douze mille soldats des troupes fédérales sont dirigés sur la capitale. Le couvre-feu est décrété. Quelques minutes auparavant, passant devant la Maison-Blanche, j'assiste à un spectacle historique qu'aucun des autres témoins n'est près d'oublier : une mitrailleuse sur les marches de la présidence, le canon pointé vers la rue ; elle disparaîtra quelques heures plus tard sur l'ordre personnel de Johnson, mais je l'ai vue. C'était très beau. Rien ne donne plus une impression d'impuissance qu'une pauvre mitrailleuse pointée vers la rue à l'entrée du centre vital de la plus grande et plus puissante démocratie du monde. L'Amérique est enfin un pays où quelque chose de nouveau peut arriver.

Plus une seule auto dans la rue. Sur le trottoir, j'observe un phénomène particulièrement déprimant : les Blancs et les Noirs se croisent en s'évitant du regard et, les uns comme les autres, ils ont l'air coupables. Ils ne savent même pas qu'ils ont le privilège de vivre un moment historique où l'on voit s'annoncer, aussi faiblement que ce soit, la naissance d'une civilisation nouvelle. Si j'étais russe ou chinois, je souhaiterais de tout cœur à l'Amérique de réussir sa mutation. A ceux des Jaunes ou des Rouges qui parlent d' « enterrer » l'Amérique, je rappellerai que l'Amérique est un continent immense, que, pour enterrer un tel cadavre, il faut beaucoup de place, la terre entière, très exactement. Tous ceux qui creusent le tombeau de l'Amérique préparent leurs propres funérailles.

A l'hôtel, en passant dans les couloirs vides, devant une porte ouverte, j'assiste à une scène d'une laideur presque parfaite. Assise sur le lit, une grosse femme en culotte et soutien-gorge, le visage en larmes, hurle, en s'adressant à quelqu'un que je ne vois pas, mais dont la présence invisible m'a tout l'air d'être celle d'un mari américain du type parfait.

— *I want to go home. I want to get out of here.* Je veux rentrer chez nous. Je veux sortir d'ici.

— *Sure, baby, sure. We'll be alright, we are getting out to morrow. We'll be alright.* Sûr, bébé, sûr. On s'en sortira. Tout ira bien.

Pourtant, l'idée d'un danger quelconque est d'une idiotie totale. La rumeur qui circule dans le hall, selon laquelle les Noirs vont « descendre » incendier le *Hilton*, en fermant toutes les issues, « enfumer » les clients comme des rats, est une idée intéressante, justement, parce que c'est une idée de rat. Il y a dans tout cela une panique intérieure sans rapport avec l'existence d'une menace extérieure quelconque. Ce qui est en train de se manifester, c'est la culpabilité, mère de toutes les angoisses. Mais, par-dessus tout, ce qui joue, c'est le phénomène du familier devenant soudain complètement *étranger*. L'Amérique, qui connaissait « ses » Noirs, brusquement, ne les reconnaît plus, et la peur suit. Connaissez-vous l'histoire du marin Dybïenko, le fidèle gardien du jeune tsarévitch, dernier héritier du trône de toutes les Russies? Ce matelot veillait depuis des années sur l'enfant royal avec un dévouement touchant et avait la confiance totale de la tsarine. Au moment du chambardement, dans le château où la famille impériale fut d'abord consignée, un membre de la suite entra à l'improviste dans la chambre du tsarévitch et vit le matelot vautré dans un fauteuil : il se faisait tirer les bottes par l'enfant royal terrifié, qu'il insultait grossièrement.

Comme quoi on ne peut jamais compter sur ses domestiques.

X

Depuis le début de l'émeute, j'essaie de joindre au téléphone celui que j'appellerai ici par le prénom du dernier-né et onzième de ses enfants, Red. Je l'ai connu à Paris, au lendemain de la Libération, alors qu'il était souteneur, tout en faisant ses études à la Sorbonne.

« Souteneur » n'est pas du reste le mot : soutenu, et spontanément, conviendrait mieux. Les filles de Pigalle n'avaient pas attendu les Panthères Noires pour découvrir que *black is beautiful*. La beauté physique de ce jeune gars de Californie était une valeur que la société, en le rejetant, l'obligeait à exploiter, comme elle oblige les athlètes de couleur à miser à fond sur leurs muscles pour accéder à l'air libre. Il faut être un odieux hypocrite ou une belle saloperie « morale » pour oser accuser Malcolm X d'avoir été « maquereau » et mon ami Red de s'être laissé entretenir par des filles. Dans l'état actuel des chances ouvertes aux Africains à Paris, par exemple, les accuser de « proxénétisme » pose avant tout la question des innombrables Blancs qui, en Afrique, ont passé un siècle à dire à leur *boy* : « Amène-moi une fille ce soir. » Quiconque a connu le colonialisme sexuel en Indochine et en Afrique y regarderait à deux fois avant d'accuser les Noirs d'Europe d'être tous des souteneurs et tous des « maquereaux ». Que le colonialisme dans ses grandes lignes et dans le premier demi-siècle de son existence ait été une étape historiquement valable n'empêche point que tout ce que nous avons fait subir à l'âme des Noirs, même si nous avons incontestablement fait beaucoup pour eux aussi, devrait nous rendre un peu plus circonspects dans les jugements moraux que nous portons sur eux. Les aspects marginaux sexuels de la colonisation ont donné naissance, notamment, à l'infâme institution des « boys suceurs », massacre absolu de l'âme de l'enfant noir. Elle procédait d'un rejet si total de la race noire hors de l'humain que les misérables habitués à y faire appel n'avaient même pas parfois l'excuse de l'homosexualité. En Amérique, il suffit de lire les autobiographies de Claude Brown, de Cleaver, et de tant d'autres, pour se rendre immédiatement compte que les conditions psychologiques, morales et économiques dans lesquelles se débat, se développe ou se meurt la personnalité d'un jeune Noir du ghetto dénie toute signification au fait que tel ou tel Noir, aujourd'hui avocat, leader politique ou écrivain, fut à ses « débuts dans la vie », si j'ose dire, souteneur, criminel, marchand de drogues ou drogué. Rares sont les Noirs qui ne comptent pas une putain dans leur ascendance maternelle. Rares sont les enfants dont les aïeules n'ont pas été utilisées comme dépuceleuses des boutonneux blancs. Il n'est pas de Noir aujourd'hui qui hésite à dire tranquillement que sa mère était une putain. La putain, dans ce cas, a été la société blanche. Être « maquereau », dans ces conditions, c'est tout simplement se plier et s'adapter pour survivre, c'est accepter le *diktat* de la Toute-Puissance. Les Noirs et les Noires ont été obligés de passer par la prostitution, le sport ou le crime — quatre cinquièmes des crimes en Amérique sont commis par les Noirs — comme les Juifs ont été obligés de passer par l'usure.

J'avais aidé Red à Paris, au moment où il fut atteint de tuberculose. J'aimais beaucoup ce garçon, de dix ans plus jeune que moi, parce que je reconnaissais en lui le tumulte océanien de ma propre adolescence de sans-patrie. Nous avons traversé les mêmes épreuves. Moi aussi, j'ai eu à survivre. Il avait appris le français très vite et parlait un argot parfait avec un accent américain assez marrant. Je me souviens, Red, de ta phrase prophétique, en 1951, où, bourré de pénicilline — les risques du métier —, tu gueulais, à l'exposition de Picasso : « Tôt ou tard, les jeunes se mettront à traiter la société comme Picasso traite la réalité : en la foutant en morceaux... » A la tienne! Ses deux fils aînés sont des jumeaux, et l'un d'eux vit chez moi, se cache plutôt, dans une chambre de bonne.

Avez-vous remarqué que vous ne voyez presque jamais de jumeaux parmi les Noirs? C'est que tous les Noirs sont des jumeaux pour vous et se ressemblent à vos yeux au point que vous les voyez tous pareils.

J'obtiens à trois heures le téléphone de Red, via une communication avec Los Angeles. Le couvre-feu est annoncé pour quatre heures trente par le maire de Washington, Mr. Washington. J'ai juste le temps.

Je reconnais la voix chaleureuse, malgré tant d'années écoulées...

— Tu ne peux pas venir ici tout seul, *pale face*, visage pâle.

— Red, il faut absolument que je te voie.

— Juste en ce moment?

— Justement parce que c'est *ce* moment... je n'ai rien de spécial à te dire : c'est donc *vraiment* très important.

— Bon, j'envoie des mecs te chercher.

L'accent américain est devenu plus fort, mais Pigalle est encore là.

Je m'attends à recevoir deux colosses. Arrivent dans une Chevrolet miteuse deux adolescents frêles. Quinze, seize ans ? Mais, visiblement, ils font l'affaire, car sur notre passage, les quelques jeunes *cats* qui s'approchent de la voiture la bouteille d'essence à la main s'écartent dès qu'ils entendent les mots qui retentissent aujourd'hui d'un bout à l'autre de l'Amérique : « *Soul Brothers* ». Ames sœurs. Passionnant, cette intrusion du mot « âme » dans le langage des Noirs américains. *Station Ame :* station de radio des Noirs pour les Noirs. *Musique de l'âme :* musique des Noirs. Rappelez-vous que le mot « âme » désignait jusqu'en 1860, date de leur libération, les serfs en Russie. L' « âme » était une unité de vente et d'achat, le prix d'une âme à l'époque des *Ames mortes* de Gogol, se situait aux environs de deux cent cinquante roubles, à peu près l'équivalent de vingt-cinq mille anciens francs. Chez les Russes, il était interdit de vendre séparément les membres d'une même famille, mais les esclaves noires américaines étaient systématiquement séparées des leurs, ou mariées selon la volonté du maître dans des buts de reproduction, comme dans les haras d'aujourd'hui. *Soul Brothers, Soul Brothers...* Les jeunes s'écartent.

Une maison brûle, mais elle n'intéresse personne. Par contre, à cinquante mètres de là, devant la vitrine d'un magasin, on regarde les maisons brûler *sur l'écran d'une télévision.* La réalité est là, à deux pas, mais on préfère la guetter sur le petit écran : puisqu'on l'a choisie pour vous la montrer, ça doit être mieux que cette maison qui brûle à côté de vous. La civilisation de l'image est à son apogée.

Il y a trois raisons psychologiques — raisons sociologiques évidemment — qui déterminent les soudaines explosions de l'âme noire qu'aucun « chef », contrairement à ce qu'affirme le F.B.I., n'arrive à provoquer ni à contrôler. Premièrement, et c'est là l'aspect essentiel du problème, pourtant complètement négligé, le jeune Noir ne sait pas qu'*il fait partie d'une minorité*. Vivant parmi des centaines de milliers et de millions d'autres Noirs concentrés dans les ghettos, il ne voit autour de lui que ses frères de race, il en vient à oublier complètement l'aspect numérique de la supériorité des Blancs. Deuxièmement, un prodigieux ennui; tout voyageur a vu des milliers de Noirs assis en grappes pendant des journées entières sur les quelques marches qui séparent leur maison du trottoir. Il y a le chômage, l'absence d'espace et de terrains de jeu, d'interminables week-ends sans distractions, sans voiture, sans moyens d'évasion, les loisirs vides par une chaleur écrasante. On attend. On attend quoi? Un *happening*, un événement. Le besoin de l'événement est tel que l'incendie devient un spectacle merveilleux. *Burn, baby, burn*. Brûle, bébé, brûle. Le feu retrouve spontanément le caractère que l'humanité y a vu aux temps les plus anciens et continue à y voir : c'est un spectacle. Quel est celui d'entre nous qui n'a pas éprouvé cet étrange moment de satisfaction, de libération, en regardant le feu, ne serait-ce que celui qui brûle dans notre cheminée? On met le feu à un magasin « blanc », mais ce sont les maisons des Noirs, les pauvres logis des Noirs qui brûlent. Peu importe. La « compression » de l'âme, le désespoir et la haine et la frustration deviennent souvent scorpionesques, de l'ordre

de l'autodafé. Le plus grand problème des Noirs américains, de leur élite, de leurs chefs, est le mépris et la haine
qu'inspire encore souvent le Noir au Noir lui-même, et
qui n'est évidemment qu'une forme de la haine pour *sa*
condition. Pour échapper au néant d'une vie hors du
temps, l'Africain dort comme personne ne dort. Le sommeil
tue le temps vide. On a beaucoup épilogué sur la cruauté
rieuse des tortures et massacres des guerres passées ou
actuelles en Afrique : mais cette victime qui se tord de
douleur, c'est avant tout un spectacle, un divertissement.
Un film extraordinaire, *La Proie nue*, à tort dénoncé comme
raciste, avait osé nous le montrer; ce Blanc enduit de
terre glaise et rôti à la broche dans une position grotesque,
comme un cochon, parmi les sourires et dans la rigolade
générale, c'est avant tout un spectacle, du *Living Theater*.

Ce qui veut dire uniquement ceci, mais c'est une vérité
qui hurle pour se faire entendre : *le Noir africain et le Noir
du ghetto américain ont ceci de commun qu'ils crèvent du besoin
de culture.*

Dans l'appartement de Red, une dizaine de personnes :
la moitié des femmes portent des tenues africaines, et pas
de perruques. Au cours de mes dix années aux États-Unis,
je n'avais jamais vu d'Américaine noire sans perruque.
J'ai aimé des femmes noires sans me douter que ces beaux
cheveux lisses étaient importés d'Asie, via Hong Kong.
Jusqu'à ces temps derniers, et pendant des générations,
le grand drame des Noires américaines était ces cheveux
crépus « que l'on ne saurait voir ».

On m'accepte avec une trace d'ironie. Il y a de la fierté
dans l'air. Il y a ce côté légèrement protecteur et moqueur
de l'accueil que l'on fait au civil égaré dans les mess des
unités en première ligne.

Red arrive dix minutes après moi. C'est, aujourd'hui, un homme de quarante-six ans, mais seul le visage est légèrement marqué par vingt ans de lutte noire : la force et la carrure du corps qui évoquent des siècles de fardeaux et de « rendement » physique, de *manpower*, au sens littéral du mot, n'ont pas changé depuis notre jeunesse. Du « matériel humain »... Un de ces hommes que la largeur des épaules et ce côté « bloc » du torse et des reins font paraître plus petit que leur grande taille. Les traits ont perdu un peu de leur finesse, mais ce n'est pas de l'empâtement : ils ont simplement pris une dureté différente, qui n'est plus celle du hasard des muscles et de l'ossature, mais de l'expression... Il est soucieux : sa femme va accoucher. Il craint qu'on ne mette le feu à la clinique.

— Tu comprends, ce serait du gâteau : faire cramer par les flics la clinique, et dire ensuite que c'est nous-mêmes qui l'avons brûlée...

A peine rouillé, son français.

— Ils ne vont tout de même pas faire cela, Red.

— Non, ils ne vont probablement pas faire ça. Mais c'est une idée, non ?

C'est une idée en effet...

Il me regarde rageusement. Pour une idée, c'est une idée. Je m'assieds dans un fauteuil râpé. Moi aussi, je suis capable d'avoir des idées :

— Et si vous mettiez vous-mêmes le feu à la clinique, pour dire ensuite que c'est une provocation de la police ?

— Il faudrait pour ça que ce soit une clinique de Blancs.

Il me tend son paquet de cigarettes. Des gauloises. On rit tous les deux.

— C'est pour quand, la naissance ?

— *Any time...* D'un moment à l'autre... C'est ma deuxième femme, et mon douzième gosse. J'ai l'intention de continuer...

Il m'offre du feu :

— Tu comprends, pour les Noirs, la plus sûre façon d'avoir les Blancs, c'est de baiser à mort. La grande lutte. En ce moment, c'est interdire à ma femme la pilule et le diaphragme. *The more we screw, the more we screw them.* Plus on baisera, et plus ils seront baisés. Nous avons fait faire des prévisions statistiques : en baisant à mort, on peut être cinquante millions dans dix ans... le quart de la population. Interdiction même aux putes de se servir du diaphragme ou de la pilule. Dans dix ans...

Je dis :

— C'est du désespoir.

Il me regarde avec étonnement :

— Un Noir qui n'est pas désespéré est un Noir foutu.

Il est vrai qu'en anglais *desperate* est plus proche d'enragé que de désespéré, voilà qui me rassure quelque peu.

— Tu peux faire le tour du problème, tu ne trouveras qu'une solution : le génocide ou l'amour.

Je dis :

— Les sociétés riches n'ont jamais recours au génocide.

— La seule solution du problème noir est entre les cuisses des femmes blanches.

— Et pourquoi pas : la solution du problème blanc entre les cuisses des femmes noires ?

— Chacun son tour... tu vois quelqu'un ici, dans cette pièce, qui n'ait pas du sang blanc ? Il n'y a pas d'antibiotique qui guérisse ça... mais, pour le moment, tout cela est illusoire. Jamais la sexualité n'a été moins capable de renverser les barrières.

C'est vrai.

Assez paradoxalement, plus vous êtes libéral, blanc ou noir, femme ou homme, plus vous êtes idéologiquement convaincu, et plus vous évitez en ce moment les rapports sexuels interraciaux, afin de ne pas donner prise aux arguments racistes dans le genre de ceux qui expliquent la participation des femmes blanches à la lutte noire par le « dévergondage sexuel ». Du reste, avec la pilule et le diaphragme, tout cela est parfaitement dénué d'avenir génétique. Le mélange des sangs s'était fait presque uniquement par les femmes noires. Aujourd'hui, je dirais qu'il y a probablement plus de femmes blanches qui couchent avec des Noirs que de femmes noires avec des Blancs.

J'ai noté aussi un phénomène particulièrement pathétique : lorsqu'on parle avec les Noirs du sang blanc qu'ils ont tous dans les veines, ils vous diront rarement : « J'ai un grand-père blanc », mais presque toujours : « J'ai eu une grand-mère ou une arrière-grand-mère blanche. » Pourquoi ? Que tu es donc triste, Vérité, que tu peux donc être bête, Psychologie ! Aucun des jeunes Noirs ne veut admettre que sa mère « s'était fait baiser par un Blanc ». Mais ils éprouvent une désarmante satisfaction à affirmer qu'une Blanche s'était fait baiser par leur grand-père noir... Effroyable vengeance posthume, qui s'exerce contre leur propre sang.

Red me tape soudain sur l'épaule.

— Dis donc, tu te rends compte qu'il y a trois quarts d'heure qu'on discute et on ne s'est même pas parlé ?

Il hausse les épaules.

— Effrayant, non ?

— Assez, oui.

On en est venu au point, en Amérique, où tout Blanc et tout Noir qui se rencontrent, pour aussi amis qu'ils soient, parlent immédiatement couleur de peau. Ralph Ellisson, dans un ouvrage célèbre, avait qualifié le Noir américain d' « homme invisible ». Mais maintenant qu'il est devenu visible ? Cette nouvelle visibilité soudaine et grandissante qui le cache, en quelque sorte, en tant qu'individu ? Un étrange retour au point de départ. Le Noir américain était réduit à la couleur de sa peau parce qu'il était inexistant, et le voilà à présent réduit encore plus à sa couleur de peau parce qu'il se met à exister trop puissamment en tant que *Noir*. Ce qui a donné d'ailleurs naissance au phénomène social du « Noir professionnel » qui vit de la couleur de sa peau dans certains milieux blancs.

Je dis à Red que Maï est malade. Je lui téléphone tous les jours à Beverly Hills, depuis que je suis à Washington.

— Je crois qu'elle va mourir. Au téléphone, elle miaule si tristement...

Il rit.

— Tu as déjà entendu parler d'un chat qui miaule gaiement ?

Je suis heureux qu'en pleine flambée de violence, quelques heures à peine après la mort de Luther King, Red ne m'ait pas dit :

— C'est ça, brise-moi le cœur. Parle-moi de ta chatte siamoise malade. C'est le moment.

Une explosion derrière mon dos : un des Noirs présents vient d'envoyer une bouteille dans le poste de télévision. Celui-ci grésille un instant et meurt.

— *The bastards*... Les salauds

Il a raison. Depuis l'assassinat, c'est à jet continu que toutes les stations font l'éloge de Martin Luther King —

et, six semaines auparavant, Edgar Hoover, le chef éternel et immuable du F.B.I., l'avait traité devant la presse de « plus grand menteur de la terre ». Le téléphone de Martin Luther était espionné jour et nuit par les autorités fédérales, avec l'autorisation expresse du chef de la Justice américaine de l'époque, le sénateur Bob Kennedy, que l'on a pu voir ensuite marchant derrière le cercueil aux côtés de la veuve. Six semaines auparavant, Carmichael lui-même, alors au sommet de sa popularité d'antiblanc, traitait King de *coon*, terme plus insultant encore que *nigger*. Le mouvement de l'apôtre de la non-violence était considéré comme fini et lui-même comme « enterré ». Il lui a suffi de mourir pour redevenir vivant. La téloche est particulièrement écœurante : c'est un défilé constant de visages blancs et noirs chantant les éloges de l'homme qui avait été le premier à lancer le cri : « *Black is beautiful.* » Les voix funèbres des speakers, l'eau de rose coulant à flots, radio, télé, presse : cette vieille façon de s'acheter une conscience en battant sa coulpe et en proclamant sa culpabilité. De ma vie, je n'ai jamais rien vu de pareil à cette découverte posthume d'un homme dont tout le monde se foutait quarante-huit heures auparavant. Je préfère encore le franc cynisme de cette salope blanche que nous avons entendue dans le hall de l'hôtel déclarer, après l'assassinat :

— Enfin, voilà une bonne chose de faite. *A good job well done.*

Red regarde les gosses qui cavalent dans la rue, des bouteilles d'essence à la main.

— Quelle est votre tactique, en ce moment?

Il secoue la tête.

— Il n'y a pas de tactique. Tout est spontané. Notre

peuple vit dans un état de provocation constant : la richesse de l'Amérique blanche face à vingt millions de Noirs sans pouvoir d'achat et pillés de leurs droits. Tu crois que c'est nous qui avons préparé la révolte de Watts, avec ses trente-deux morts? Les vrais organisateurs, ce sont les commerçants blancs qui vendent à la population, *dans des quartiers pauvres*, des produits qui coûtent jusqu'à trente pour cent *plus cher* que dans les quartiers riches... Il y a une absence de moyens de transports en commun qui fait qu'un Noir qui n'a pas d'auto ne peut se rendre au travail, même s'il en trouve un...

— Et toi?

— Recruteur pour le Viêt-nam.

Je ne comprends pas. Cette fois, bien que la caractéristique la plus évidente de la situation noire soit l'absurdité, je perds contact avec la réalité. Ou avec l'absurdité. Cela revient au même.

— Qu'est-ce que tu racontes?

— Je recrute des jeunes gens noirs pour le Viêt-nam...

Il a dû percevoir cette expression de frayeur sur mon visage, parce qu'il fait un geste d'approbation.

— Oui.

Nous nous taisons un instant, puis je demande quand même :

— Les Vietnamiens, qu'est-ce qu'ils deviennent là-dedans?

— Oui, eh bien, je vais te le dire : les Vietnamiens, pour le moment, je m'en fous complètement. Les seuls frères que nous connaissons tant que la lutte durera, c'est les Noirs. Les autres, tous les autres, pour l'instant, je les emmerde. Je les emmerde totalement. La seule chose qui compte, c'est que, grâce au Viêt-nam, nous disposerons ensuite de soixante-quinze mille jeunes Noirs admirablement entraînés à la guérilla. Qu'ils le veuillent ou non, la tactique du haut commandement américain au Viêt-nam, celle du combat de rues, de la jungle et de l'infiltration aboutira à former une armée professionnelle noire, et si tu comptes que cela fera, au bas mot, quarante mille « cadres » dont chacun formera ensuite ici des groupes de combat, tu comprendras pourquoi je considère tout Noir qui veut empêcher nos jeunes gens d'aller se battre là-bas comme un traître. Si la guerre du Viêt-nam finissait aujourd'hui, ce serait un désastre pour nous. Pour bien faire, il nous faudrait attendre trois, quatre ans.

— Et après ?

— Après, c'est de la métaphysique.

Il hésite un peu.

— Mais je vais te dire. Ce que nous devons et ce que nous allons obtenir, ça dépasse l'imagination : un État noir indépendant entièrement financé par l'argent des Blancs, pendant au moins trente ans. Tu te rends compte ? Nous sommes obligés de lutter *à mort* contre les Blancs dont nous ne pouvons nous passer...

Qu'un vieux copain comme Red se mette à nous chanter l'hymne de la République de la Nouvelle Afrique qui serait composée de cinq États du Sud arrachés aux Blancs et qui ne serait concevable qu'après une dévastation nucléaire des États-Unis et cent millions de morts, voilà qui en dit long sur l'évolution « obligée » des anciens modérés et la surenchère du fanatisme.

Je dis :

— Raconte ça à d'autres. Ta Nouvelle République africaine, c'est bon comme moyen de pression sur la société blanche; c'est tout.

Il ne bronche pas. Son visage ment. Je sais qu'il n'y croit pas, qu'il ne peut pas y croire...

— Tu vois une autre solution?

— Oui.

... Je les ai laissés là-bas, à Paris, tous les deux, dans mes deux chambres de bonne aménagées, le jeune Noir américain et la jeune Française si blanche. Le garçon est un fils de Red, vingt-deux ans. Déserteur de l'U.S. Army en Allemagne. Mais nullement, comme tant d'autres de ses camarades, parce qu'il ne voulait pas aller au Viêtnam. Déserteur par amour. Ballard avait rencontré à Wiesbaden une petite Française qui était « au pair » dans une famille allemande et qui retournait à Paris. Deux mois après leur séparation, il désertait.

Je revois Ballard assis sur le lit, une médaille hippie sur sa poitrine nue, et j'entends sa voix cependant que Red et moi nous nous taisons, si bien que toute l'étendue de ce silence est soudain occupée par la voix d'une humble vérité humaine pourchassée de tous les côtés...

— *Fuck them all.* Qu'ils aillent tous se faire foutre.

Il le répète avec cette rancune farouche contre toutes les lois d'airain que l'homme édicte pour sa contrainte, comme si celles de la nature n'étaient pas assez impitoyables.

— *Fuck them dead.* Qu'ils crèvent. D'abord, je ne veux pas aller tuer du Jaune pour m'entraîner à tuer plus tard du Blanc, tout ça parce que je suis un Noir. Je ne suis pas seulement une couleur de la peau.

Il jette sa cigarette par la fenêtre.

— Et puis je lui ai fait un enfant.

Madeleine est en train de faire la vaisselle, dans l'évier, près de la fenêtre. Elle a la peau mate qui ferait penser à l'ombre du soleil, si c'était possible. Des attaches fines et les cheveux de serre chaude de ces Françaises d'Algérie qu'aimait tant Camus.

Les parents étaient arrivés quelques jours auparavant de Toulouse, où ils tiennent un restaurant. Des Pieds-Noirs, des Sanchez mâtinés d'Auvergnats. Personne ne les avait prévenus que Ballard était noir. Je les avais reçus chez moi, et je leur avais dit, voilà, c'est comme ça. C'est un nègre.

« Ah bon » dit le père, et la mère, qui avait un sourire nerveux et des dents en or, ne parut ni étonnée ni bouleversée.

La phrase que le père de Madeleine prononça ensuite est de celles qui libèrent définitivement un homme de la couleur de sa peau :

— On voudrait le voir.

D'habitude, chez nous comme en Amérique, le mot « nègre » semble suffire entièrement à décrire un homme dans sa totalité. Ces Français d'Algérie avaient le cœur mieux placé.

Ils l'ont vu. La seule chose qui les troublait profondément, c'était la désertion.

— On ne peut pas faire ça à son pays, disait M. Sanchez, dont le nom n'est d'ailleurs pas Sanchez.

Ballard avait l'air malheureux.

Je me sentais au milieu d'un magma dialectique aux confusions sans fin. Des Pieds-Noirs chassés d'Algérie en train d'expliquer à un jeune Noir américain qu'il fallait être patriote, alors qu'une fraction de l'opinion noire réclamait un État indépendant comme l'Algérie...

Je dis :

— Il y aura l'amnistie. Dès que la guerre sera finie...

— Oui, mais en attendant?

— Je vais lui obtenir des papiers.

... Nous nous taisons, Red et moi. Va-t-il me laisser partir sans une question? Il ne pardonne pas à son fils d'avoir dit non à l' « entraînement » sur le dos des Viets pour revenir ensuite aux États-Unis et « préparer » pour les mener peut-être plus tard au combat les guérilleros du « pouvoir noir ». Il en garde envers Ballard une rancune qui n'est pas bien différente de la « honte » qu'éprouvent toutes les vieilles culottes de peau qui se sentent déshonorées lorsque leur fils refuse de se battre.

Je demande :

— Tu as des nouvelles de Philip?

Son visage se détend. Il sourit d'abord, puis cache sa fierté dans un rire.

— Il apprend le métier. Deux ans dans les *marines*, détaché ensuite dans un corps d'élite, tu sais, comme les Bérets verts...

La tête me tourne un peu, l'absurdité, la folie du paradoxe et le délire logique de cette « fierté » de père sont tels que la colère monte en moi, une colère d'autant plus douloureuse qu'elle ne vise personne, il n'y a pas de cible, sinon nous-mêmes. Les idéologies posent avec de plus en plus d'urgence la question de la nature de notre cerveau chaque fois qu'elles croient poser celle des sociétés... Je sais depuis longtemps que notre intelligence est au service d'une aberration congénitale qui s'ignore. Mais, dans le cas de Red, c'est vraiment le cerveau qui crie au secours. Car sa fierté, cette satisfaction paternelle de savoir que son fils fait là-bas, au Viêt-nam, son « devoir » dans un « corps d'élite » et que ce merveilleux combattant donnera un jour au *black power* un chef dans la lutte contre ceux-là mêmes qui sont aujourd'hui ses frères d'armes et qui l'ont entraîné ainsi sur le dos des Viets à la guerre contre eux-mêmes, se situe dans une irréalité fantasmagorique totale, dans une sanglante abstraction qui peut germer seulement dans un psychisme de ghetto sans sortie de secours...

Je regarde encore une fois les visages autour de moi, les vêtements africains. Et, sous ce déguisement, ce qu'il y a de plus authentiquement américain en Amérique, les Noirs... Un mélange d'idéalisme et de naïveté qui fut jadis la marque même du « rêve américain ».

J'ai envie de leur dire la vérité. Car je la connais, moi, la vraie « vérité », sur ce fils « héros » de Red, un des grands leaders futurs de la révolte noire... C'est un héros, d'accord. *Sure thing, he is a hero allright...*

Mais je n'ai pas le droit. J'ai promis. Et ce serait la fin de ce qui reste de notre amitié, car, de toute façon, Red refuserait de me croire.

J'ai vu à Paris quelques-unes des lettres de Philip à son frère. J'en ai une sous les yeux, là. La lettre est datée de septembre 1967, alors que Ballard était encore en Allemagne. Voilà ce que cela donne, en traduction :

> « *Il paraît qu'il y a des types qui désertent. Pas chez nous. Je n'en connais pas un. Sans doute des bleus qui ne se sont pas battus. Ils n'ont rien dans le ventre* (They have no guts). *Chez nous, ici, il n'y a que des volontaires. Des types qui en veulent, pas des civils pourris.* »

Car voilà : Philip a l'intention de rester dans l'armée et de devenir officier de carrière. Il le dit dans chacune de ses lettres à Ballard. Je ne sais quelles étaient ses intentions au départ, mais je sais ceci : un Noir a trouvé sa place dans la fraternité américaine en tuant des Viets. C'est normal. La fraternité, ce n'est pas fait pour les chiens. Tous ceux qui ont tué, comme moi, pendant des années, savent que la fraternité, c'est dans les unités de combat qu'elle s'épanouit. Il n'y avait pas de Gaulois, d'Algériens, de Juifs, de Noirs ou de Grecs dans les commandos de la Légion étrangère... il n'y avait que des frères tueurs et tués.

J'ai rarement éprouvé un élan d'affection et de pitié tel que celui qui me soulève soudain, alors que Red me parle avec fierté de ce fils qui est là-bas, en Asie, en train d' « apprendre le métier », pour devenir peut-être un jour, qui sait, un Che Guevara du *pouvoir noir*...

— Ce salaud-là ne m'écrit presque plus, dit-il. Trop occupé, je suppose. Et puis il y a la censure militaire; de toute façon, il ne peut pas dire ce qu'il pense... on le retirerait immédiatement des unités de combat. Tu sais à qui il me fait penser, Phil? A Ben Bella. Un adjudant décoré de l'armée française, quinze ans de bons services, et qui vous a foutus à la porte de l'Algérie.

Il me demande enfin, doucement :

— Qu'est-ce qu'il devient, Ballard?

— Il va l'épouser.

— Il va finir comme j'ai commencé, là-bas, dit Red, sourdement. Maquereau.

— Je ne pense pas.

Il hausse les épaules.

— Il va finir par mettre cette môme sur le trottoir à Pigalle et par se faire entretenir par elle, parce que les Noirs, à Paris, pour trouver du travail... Il n'a pas une chance, ce con-là. *He hasn't got a chance.* Il joue perdant...

— Sa belle-famille s'en occupe.

Il paraît étonné.

— Ils sont d'accord?

— Oui.

Il ne dit plus rien. La France. Ce n'est pas un monolithe, la France. Il n'y a pas que des salauds.

— Tu sais que Philip va passer officier?

Le sourire se veut cynique, mais la fierté ne l'est pas. Il s'échauffe :

— Il y a encore parmi nous des imbéciles qui gueulent contre la guerre au Viêt-nam. Il suffit pourtant de réfléchir une seconde pour comprendre que cette guerre, c'est ce qui pouvait nous arriver de mieux. Chaque fois qu'on parle de négociations avec Hanoï, j'en suis malade... Le meilleur entraînement du monde, voilà ce que c'est, le Viêt-nam. Et c'est Jack Kennedy lui-même qui avait mis l'accent sur la guérilla et le combat de rues...

Au moment où je recopie ces pages, j'ai sous les yeux un paquet de dix lettres de Philip. Ce sont des lettres pleines de *nous*. Je garantis l'absence totale de toute littérature. Ce *nous*, j'aurais été bien incapable de l'inventer... « *Nous* faisons ce que nous pouvons pour aider ces gens-là; encore faut-il qu'ils s'aident eux-mêmes. *Nous* faisons leur travail... Ces gens-là ne font rien pour avoir un vrai gouvernement démocratique... *Nous*... »

C'est un Noir américain qui parle. La plus vieille intégration du monde : celle de la mort donnée ou reçue.

La panique me saisit dans la petite pièce aux murs surchauffés. Toujours ma mystérieuse claustrophobie. Quelque chose a été enfermé en moi, par erreur, dans la peau d'un homme.

— Je te ramène chez toi.

Nous sortons.

Il me demande dans l'escalier, moqueur

— Et le chien blanc?

Je m'arrête.

— Comment diable...

— Jean m'en a parlé, il y a un mois, à Los Angeles...
Pauvre bête.

— On est en train de le rééduquer.

Il dit, calmement :

— Nous allons finir par *les* rééduquer nous-mêmes.

Il hoche la tête, avec lassitude.

— Quand même, ça va loin... Cette idée d'arroser un chien
d'essence et d'y mettre le feu... Pauvre Jean, elle a chialé...

Je ne comprends pas ce qu'il raconte, mais ce n'est pas
le moment de poser des questions. Ce n'est pas tous les
jours qu'on a l'occasion de voir sauter la civilisation là
où elle est au faîte de sa puissance et de sa richesse. Les
policiers armés bavardent, fument et rient dans leurs half-
tracks cependant que sautent les vitrines des magasins
enfoncées à coups de barres de fer.

Ce qui frappe immédiatement, lorsqu'une flambée de
violence raciale atteint son apogée, c'est le côté « chacun
pour soi ». Les pillards de tout âge se heurtent et quelque-
fois s'insultent en se disputant la marchandise. Les ména-
gères ont l'air de faire leur marché dans le chaos des
étalages renversés. Les mères de famille y vont raisonnable-
ment, choisissant les produits de première nécessité, après
mûre réflexion, sous les yeux de la police qui a pour ordre
de laisser faire.

Cette ruée au pillage est une réponse naturelle d'innombrables consommateurs que la société de provocation incite
de toutes les manières à acheter sans leur en donner les
moyens. J'appelle « société de provocation » toute société

d'abondance et en expansion économique qui se livre à l'exhibitionnisme constant de ses richesses et pousse à la consommation et à la possession par la publicité, les vitrines de luxe, les étalages alléchants, tout en laissant en marge une fraction importante de la population qu'elle provoque à l'assouvissement de ses besoins réels ou artificiellement créés, en même temps qu'elle lui refuse les moyens de satisfaire cet appétit. Comment peut-on s'étonner, lorsqu'un jeune Noir du ghetto, cerné de Cadillac et de magasins de luxe, bombardé à la radio et à la télévision par une publicité frénétique qui le conditionne à sentir qu'il ne peut pas se passer de ce qu'elle lui propose, depuis le dernier modèle annuel « obligatoire » sorti par la General Motors ou Westinghouse, les vêtements, les appareils de bonheur visuels et auditifs, ainsi que les cent mille autres réincarnations saisonnières de gadgets dont vous ne pouvez vous passer à moins d'être un plouc, comment s'étonner, dites-le-moi, si ce jeune finit par se ruer à la première occasion sur les étalages béants derrière les vitrines brisées ? Sur un plan plus général, la débauche de prospérité de l'Amérique blanche finit par agir sur les masses sous-développées mais *informées* du tiers monde comme cette vitrine d'un magasin de luxe de la Cinquième Avenue sur un jeune chômeur de Harlem.

J'appelle donc « société de provocation » une société qui laisse une marge entre les richesses dont elle dispose et qu'elle exalte par le *strip-tease* publicitaire, par l'exhibitionnisme du train de vie, par la sommation à acheter et la psychose de la possession, et les moyens qu'elle donne aux masses intérieures ou extérieures de satisfaire non seulement les besoins artificiellement créés, mais encore et surtout les besoins les plus élémentaires.

Cette provocation est un phénomène nouveau par les proportions qu'il a prises : il équivaut à un appel au viol.

Dans le ghetto qui s'enflamme, on s'empare de n'importe quoi. Pouvez-vous me dire ce que ce jeune Noir va faire de ce mannequin de cire nu dont un autre avait déjà arraché les vêtements et qu'il emporte sous son bras? Et celui-là, avec sept corbeilles à papier? Je comprends mieux l'autre, là-bas, qui marche les bras chargés de rouleaux de papier hygiénique : le voilà paré, il assure ses arrières. Des gosses, le visage barbouillé de confiture, cassent des bocaux de *gelfilte fish* qu'ils consomment sur place, et une grosse bonne femme élève entre ses mains, pour mieux l'admirer, une petite culotte de dentelle noire, cependant que sa voisine médite sur des bijoux de pacotille que l'on trouve dans tous les drugstores, et qui me font penser à ces verreries qui servaient à gagner les bonnes grâces des tribus africaines, à l'époque de Stanley et de Livingstone. J'admire aussi cette dame qui tâte un melon, posément, le met de côté et en choisit un autre.

Ces gens-là ne pillent pas : *ils obéissent*. Ils réagissent au *diktat* du déferlement publicitaire, de la sommation à acquérir et à consommer, à ce conditionnement incessant auquel ils sont soumis dix-huit heures sur vingt-quatre. Les *commercials* de la radio et de la télé appellent à la révolution...

Red, qui conduit sa Chevrolet au pas d'escargot, fait un geste de la tête vers des adolescents qui jettent des melons contre la vitrine d'un magasin d'articles de bureau.

— Tu te rends compte qu'ils ne savent même pas ce qui a mis le feu aux poudres?

Il s'arrête et freine brusquement.

— Mais tu ne me crois pas. On va leur demander.

Il se penche par la portière entrouverte vers un des gamins. Seize, dix-sept ans? Maigre comme un chat de gouttière, et ces lèvres larges, épaisses, qui rendent, paraît-il, l'idée d'un baiser odieuse aux femmes blanches, mais qui sont exactement ce qu'il faut pour rendre l'idée du viol attrayante...

— *Sonny*, tu sais qui était Martin Luther King?

Le gosse a l'air inquiet.

— *No, Sir.*

— *And you?*

— *No, Sir.*

Un troisième intervient, le visage crispé :

— Il vient d'être tué.

— Tu sais qui il était?

L'enfant hésite un peu. Puis ça part tout seul, sans réflexion, et je sais qu'il ne fait que répéter comme un appareil enregistreur ce qu'il a entendu :

— *He was an Uncle Tom.* Il était un « Oncle Tom »...

Uncle Tom : l'expression de mépris total d'un Noir pour un autre. Dans *La Case de l'Oncle Tom*, ce roman qui a joué un rôle dans l'abolition de l'esclavage, Oncle Tom était un esclave sympathique qui vous faisait pleurer par sa bonté, comme ces petites filles bonbons chez Dickens. Aujourd'hui, « Oncle Tom » est un terme aussi haineux que l'était chez nous le mot collabo à la Libération.

Red referme la portière d'un air satisfait et démarre. « *He was an Uncle Tom.* » Le visage de Coretta Luther King, peut-être le plus beau visage de femme que j'aie jamais vu, qui évoque pour moi toute la féminité mythologique depuis Ruth jusqu'aux reines de Judée et d'Égypte, ce visage qu'une photographie immortelle a révélé au monde dans une expression de souffrance et de dignité que tous les pauvres petits Michel-Ange, Bellini et autres professionnels de la Pietà furent parfaitement incapables d'inventer, passe devant moi. La haine me prend. La vraie : celle du chien à la recherche d'une gorge, cette hargne qui me saisit chaque fois que j'assiste à la manifestation de la plus grande force spirituelle de tous les temps : la Bêtise...

— Red, est-ce que tu crois, toi, que Martin Luther King a été tué par un Noir ?

Il ne bronche pas, regarde droit devant lui.

— Possible. Mais alors, ce sont les Blancs qui l'auront payé...

— Et s'il a été tué par un Blanc payé par des Noirs ?

— Ça se peut aussi. Tu sais, les Noirs, c'est vous qui les avez faits...

— Tiens, dis-je.

— Quoi ?

— C'est la première fois que tu me mets dans le coup.

— C'était une façon de parler.

Je vois sortir d'un drugstore en cours de pillage un groupe d'adolescents les bras chargés de boîtes de *Ruby* et de *Tampax*... Je me marre. Red me regarde de travers.

— Il n'y a pas de quoi rigoler. Les serviettes hygiéniques, c'est ce qu'il y a de mieux pour fabriquer les cocktails Molotov. Elles retiennent l'essence.

Nous roulons à présent à travers des rues presque vides.

Et puis, à un tournant, Red freine brusquement.

J'appellerai ce qui suit « la vérité sur Stokeley Carmichael ». Je l'ai vu de mes yeux, debout devant un grand magasin, au milieu d'un groupe de quelques dizaines de Noirs, et il était en train de hurler. Je n'entendais que les accents de celui qui est considéré comme le meilleur orateur parmi les militants, le seul intellectuel qui ait su trouver le contact de la rue, ce Noir à la peau claire, un de ceux qui ne vous diront jamais « mon grand-père était un Blanc », mais n'hésiteront pas à parler des femmes blanches dans leur ascendance parce qu'il n'y a pas de petits bénéfices dans cette lutte sans merci, car cela veut dire qu'une Blanche s'était fait baiser par un Noir. J'étais trop loin. Je n'ai pas entendu la tirade. Mais je cite ici le témoignage des journalistes noirs présents, qui sont connus, publié dans les journaux.

Le scénario se résume de la façon suivante : apparition de Stokeley Carmichael dans la rue parmi les jeunes gens. Il pénètre dans un grand magasin et ordonne au personnel de quitter les lieux et de fermer les portes. Il revient dans la rue et, s'adressant aux jeunes gens surexcités, il brandit un revolver de petit calibre :

— Qu'est-ce que vous faites ici, les mains nues ? Rentrez chez vous, prenez des armes !

Un des jeunes gens sort alors de sa poche un revolver. Les voitures de la police sont à cinquante mètres de là.

Réaction de Stokeley :

— Non ! Je ne veux pas qu'une goutte de sang noir soit perdue !

Je considère cet épisode comme d'une importance capitale si l'on veut comprendre l'extraordinaire violence verbale des intellectuels militants. Je les ai entendus, je ne sais combien de fois, dans mon propre appartement à Paris, me dire que le monde ne sera pas sauvé tant qu'il ne sera pas débarrassé des « démons blancs ». En réalité, il s'agit là de plusieurs facteurs psychologiques qu'il est essentiel de mesurer avant de se laisser aller à la facilité de la haine en retour.

Les « appels au meurtre » des Rap Brown, Cleaver, Hilliard et autres « catalyseurs », tel LeRoi Jones, agissent comme des soupapes d'échappement par lesquelles se libère le trop-plein de rancœur de dix-sept millions d'hommes oubliés. Un des résultats atteints par cette violence verbale est de réduire le besoin de violence physique, et en même temps de donner à la jeunesse ce sentiment de fierté qui lui vient de propos impensables encore il y a dix ou quinze ans. Je dis que, loin d'avoir provoqué des tueries — où sont-elles? — les appels incendiaires des chefs du ghetto ont peut-être évité le pire.

La puissance de la parole est telle que d'avoir osé la prononcer suffit — et *libère*... Ce qu'on appelle la « rhétorique du ghetto » est un besoin d'*oser*.

Il se mêle à cela une trace d'Afrique.

Mes amis africains sont les premiers à reconnaître que, sur le continent noir, *dire* tient souvent lieu de *faire*, la parole remplace l'action, le goût des palabres, du verbe, est encore parfois plus fort que celui de la réalisation. Mais, dans le cas des Noirs américains, les paroles de haine totale prononcées contre les Blancs constituent en réalité un *acte :* celui de la reconquête d'un sentiment de virilité et de dignité par le défi verbal.

Le comportement de Stokeley Carmichael est donc parfaitement typique. D'abord, il pénètre dans un magasin et fait évacuer les Blancs et fermer les portes. Il invite ensuite les adolescents à rentrer chez eux « pour chercher des armes » que, dans neuf cas sur dix, ils ne possèdent pas, ce qui équivaut à faire évacuer la rue. Lorsque l'un des jeunes gens sort brusquement un revolver, il lui dit : « Non, je ne veux pas que soit versée une seule goutte de sang noir... », ce qui, sous prétexte de sauver des vies de Noirs, empêche néanmoins une effusion de sang.

Et il y a aussi l'incroyable inflation verbale de cette époque qui déferle d'un pôle à l'autre de la terre et semble annoncer un épuisement total du vocabulaire, suivi peut-être d'un retour à une authenticité aujourd'hui perdue dans le rapport du mot et de la vérité. Les surenchères de la publicité commerciale et de la propagande politique ont rompu tout rapport de réalité et de valeur réelle entre le produit jeté par le marché, déodorant ou idéologie, et une authenticité quelconque. Au dentifrice qui « sauve » les dents de l'Occident répond le « Beethoven est un ennemi du peuple » de la Chine rouge, et le pape Paul VI lui-même, hélas, ne se laisse pas distancer : ne vient-il pas de proclamer que la révolte contre le célibat des prêtres hollandais est une « crucifixion de l'Église » ?

Qui dit mieux ?

Faut-il vraiment rappeler au pape ce que fut la Crucifixion ?

C'est dans le contexte de ce dévergondage délirant du langage, dans cette inflation verbale avec son escalade dans la recherche de superlatifs de plus en plus dépourvus de contenu réel qu'il convient de situer les « appels au meurtre » des chefs du pouvoir noir.

Red me dépose au *Hilton*. Je descends. Je suis sur le point de lui dire : « Red, fais gaffe », mais l'énormité d'un tel conseil me fait penser à celui que ma mère m'avait donné pendant la guerre, alors que je venais de quitter le ciel des obus antiaériens et des Messerschmidt pour une courte permission : « Mets ton foulard quand tu montes en avion. »

— Red, quelle est la vérité? Même si vous recrutiez vingt mille spécialistes noirs revenus du Viêt-nam, ils auraient en face d'eux les quatre-vingt mille spécialistes blancs revenus de là-bas, eux aussi...

Le visage est fermé. Je ne l'ai jamais vu triste; la tristesse a été ravalée depuis longtemps. La tristesse, c'est le Noir de papa...

— Eh bien, en cas d'échec...

Il hésite un peu. Je crois qu'il a le sentiment de trahir. Mais c'est une amitié de vingt ans.

— Nous allons peut-être échouer, nous autres. Ce que tu appelles : les extrémistes... Mais nous aurons quand même travaillé pour les *modérés*. Sans nous, ils ne peuvent rien. Dans le cas de la révolte noire, l'extrémisme travaille pour la modération...

— Salut.

— Salut.

Il démarre.

XI

Je monte dans mon appartement et, dix minutes plus tard, je suis obligé de faire appel à tout mon sang-froid pour ne pas botter le cul d'une des plus grandes vedettes d'Hollywood, un de ces surmâles paumés dans leur propre mythe, qui n'ont qu'une peur : qu'il se passe quelques secondes où l'on s'occuperait d'autre chose qu'eux. Le film de ma femme est interrompu, et le jeune premier de quarante-deux piges qui doit être son partenaire dans un autre film dont je dois faire la mise en scène, traîne depuis quelques jours autour d'elle à Washington « pour discuter des personnages ». Il s'agit d'un de ces incroyables sous-produits de l'*Actors' Studio* où, sous prétexte de former des acteurs, on triture les psychismes des jeunes aspirants par un mélange de psychodrame et de psychanalyse, avec un pseudo-souci de vérisme et de réalisme, dont les résultats peuvent être observés chez de très nombreux sujets que cette « méthode » a amenés à rompre à la fois avec l'art et avec la réalité. Depuis quelques jours, il nous répète qu'il y a une scène qui le tracasse, une scène d'amour, qu'il voudrait la répéter avec Jean, qu'il veut la « vivre ». Je le trouve complètement soûl dans mon appartement.

Sur l'écran de la télé, c'est le défilé des amis et fidèles devant le cercueil découvert de Martin Luther King. Mais le surmâle a d'autres chats à fouetter. Ses yeux ont cette pâleur huileuse, ce bleu à la fois translucide et comme coagulé d'alcoolique invétéré. Il se plaint. Il veut répéter cette fameuse scène d'amour sans témoin, et il ne comprend pas pourquoi Jean Seberg exige que le metteur en scène soit présent à la répétition. Il ne veut pas de metteur en scène. La séquence est trop intime. Pourquoi ma femme refuse-t-elle d'aller dans son appartement pour répéter, en tête à tête? Il m'explique qu'il est essentiel pour les deux partenaires de mieux se connaître, de découvrir les gestes que chacun effectue en faisant l'amour, pour réagir comme il convient... Selon lui, la méthode sacrée de l'*Actors' Studio* exige qu' « ils vivent » tous les deux cette séquence pour pouvoir s'y référer mentalement au moment du tournage. Est-ce que je ne pourrais pas, moi qui suis aussi un « créateur », intervenir auprès de Jean pour la convaincre d'aller répéter avec lui dans son appartement?

Bref, ce petit enfant de pute est en train de me demander de faire pression sur ma femme pour la convaincre d'aller coucher avec lui.

Sur l'écran de la télé, le visage mort de Martin Luther King. Le surmâle ne lui jette pas un regard, excité qu'il est par l'obsession où se devine la terreur de l'acte sexuel et le besoin de se rassurer. Une envie irrésistible de saisir la bouteille de whisky et d'assommer ce louftingue me saisit aux tripes. Tout cela serait comique, s'il n'y avait pas là, sur l'écran, le visage mort de l'apôtre noir de la non-violence. A mes côtés, le surmâle de mes deux, qui fait pourtant profession de « progressisme » lorsqu'il s'agit des Noirs, s'envoie encore un whisky, sans un seul regard pour le visage de Coretta et de Martin Luther King.

Il continue à m'expliquer que « c'est dans l'intérêt de l'art, » qu'il est tout à fait important que ma femme et lui « répètent » dans le lit, sans aucun témoin. J'essaie de me retenir. Non-violence, non-violence...

Mes poings sont serrés, ma gorge nouée. Je comprends enfin physiquement toutes les réactions de violence des Noirs humiliés. Pasteur Martin Luther King, savais-tu vraiment à quelle puissance animale tu t'étais pacifiquement attaqué? Je transige.

Un coup de pied au cul, ce n'est pas vraiment de la violence. C'est bon enfant. Et le seau de glace vidé sur la gueule, c'est rafraîchissant.

Je fais de mon mieux.

Après, je l'aide même à se relever.

Voilà mon film par terre : il ne se fera jamais. C'est sans doute le coup de pied au cul le plus cher du monde : le budget du film était de trois millions de dollars.

Je ferme la télé. J'ai l'impression que les yeux du mort m'ont vu. Je tourne en rond dans le salon, les poings serrés. J'ai perdu ma laisse.

Ce fut au moment de me coucher que la petite phrase mystérieuse de Red me revint à la mémoire.

Je me tourne vers Jean.

— Qu'est-ce que c'est que cette histoire de chien arrosé d'essence? Tu en as parlé à Red au téléphone.

Lorsque Seberg prend un air coupable, on lui donnerait huit ans.

— Je ne t'en ai rien dit, parce que tu aurais encore piqué une de tes rages...

— Bon, alors?

La plupart de nos amis connaissaient le « problème » que me posait Chien Blanc, et nos voisins dans Arden étaient également au courant. J'étais quelque part entre l'Inde et la Thaïlande lorsque Jean reçut un groupe de jeunes visiteurs. Ils étaient quatre ou cinq et, à leur tête, il y avait le fils d'un industriel dont la somptueuse demeure dressait ses palmiers et ses bougainvilliers un peu plus haut dans la rue. Jean les fit entrer. La vieille hospitalité américaine interdit les conversations à travers la porte entrouverte. On fait entrer les gens. Ce qui explique tant d'assassinats.

— Miss Seberg, nous faisons partie de la S.D.S., *Students for Democratic Society*. Nous organisons en ce moment à travers tout le pays une grande manifestation contre la guerre au Viêt-nam...

Le garçon qui parlait devait avoir dans les vingt ans, de longs cheveux blonds, des lunettes, et Jean me dit qu'il était assez beau, ce qui peut paraître un détail futile, mais ne l'est pas pour moi : il souligne cette façon que Seberg a de croire à la beauté et d'imaginer que les splendeurs intérieures de l'âme se reflètent parfois dans la noblesse des traits. Les autres jeunes gens avaient l'air de hippies, ce qui aussi était évidemment une garantie de spiritualité.

— Nous sommes en train de préparer une manifestation spectaculaire qui frapperait vraiment les imaginations. Plus exactement, qui toucherait les sensibilités. Si vous pouvez nous accorder quelques instants, nous vous expliquerons exactement de quoi il s'agit, parce que je crois que nous avons une idée tout à fait nouvelle, vraiment originale, vraiment différente...

— Venez vous asseoir.

Ils se sont assis. Sandy allait à la ronde, remuant la queue et offrant la patte. Batka n'était pas là, Jean l'avait reconduit au ranch quelques heures auparavant. De toute façon, ces jeunes gens blancs ne risquaient rien. Ils sentaient bon.

— Vous savez que de nombreux étudiants se sont sacrifiés pour protester contre la guerre au Viêt-nam. Tout récemment encore, un camarade s'est immolé par le feu devant le Pentagone, après s'être arrosé d'essence. Ça n'a rien donné. C'est déjà entré dans les mœurs... Ça manque d'importance...

Il rajusta ses lunettes sur son nez, se tut et regarda Jean.

Elle me dit qu'à cet instant elle était convaincue qu'il allait lui proposer de s'arroser d'essence et de s'immoler comme les bonzes. Qu'il leur fallait un nom, une vedette de cinéma, pour que ça fasse plus d'effet sur les masses, de titres en première page dans le monde entier. « Il devait avoir un bidon d'essence tout prêt et allait me demander de monter dans la voiture pour la dernière promenade... » Elle se trompait.

— Je crois que vous avez un chien vicieux dont vous voulez vous débarrasser...

Sandy était debout à côté du beau blond, remuant la queue. Le jeune homme le caressa. Sandy lui donna la patte. C'est un chien qui aime tout le monde, c'est à croire qu'il manque de loyauté.

— Je ne vois pas le rapport, dit Seberg.

— Ce n'est pas bien difficile à expliquer. Depuis des années, au Viêt-nam, nous brûlons la population au napalm. Des villages entiers. Les gens lisent ça dans les journaux en prenant leur petit déjeuner. Ça ne représente plus rien de concret pour eux. Mes camarades et moi, nous voulons les réveiller, toucher leurs sensibilités. Des millions de gens qui regardent avec indifférence les villages brûlés à la télévision pousseraient des hurlements épouvantables si on faisait la même chose à un chien. Ils se révolteraient. Nous allons donc prendre quelques chiens, les allumer et les lâcher à travers la ville devant les caméras de la télévision. Puisque pour les toutous les gens sont sensibles à l'horreur, mais que, lorsqu'il s'agit d'êtres humains, ils n'y font même pas attention, nous allons leur donner une image concrète de ce qui se passe au Viêt-nam. Nous savons que vous êtes pour la paix, Miss Seberg, nous avons pensé que vous comprendrez l'importance de cette manifestation *humanitaire*... Est-ce que vous voulez y participer activement en nous donnant votre chien ?

... On était en l'an 1968, si l'on ne compte que Jésus-Christ.

— *Get the hell out of here*, dit Jean. Foutez le camp d'ici.

— Vous n'avez pas réfléchi...

— *Get out*. Dehors !

— Je pense qu'au lieu de réagir instinctivement vous devriez procéder d'abord à une analyse critique de notre idée. Vous ne pouvez pas nier que, si la guerre du Viêt-nam n'est abrégée que d'un jour, le sacrifice de quelques chiens...

— Je ne suis pas marxiste-léniniste, dit Jean.

— Nous nous en doutons. Mais nous faisions simplement appel à vos sentiments humanitaires...

Jean s'était levée, et j'aurais voulu être là. Il est vrai que son visage n'est pas fait pour la haine.

— Votre petit truc, ce sont les procès de Staline, c'est la pendaison de Slansky, à Prague, la pendaison des innocents qui se déclarent coupables, « dans l'intérêt supérieur du Parti »... Vous vous trompez d'adresse. Je ne suis pas assez politique pour ça.

Ils se sont levés. L'un d'eux eut alors cette phrase admirable :

— Le Viêt-nam n'est même plus une question de politique. C'est une question de cœur.

Vous pensez peut-être que cette visite était un canular d'étudiants, ou une façon de se moquer d'une vedette de cinéma qui a le culot de vouloir se mêler d'affaires sérieuses. Je suis obligé de dissiper vos illusions sur ce point. Cette « manifestation humanitaire » a été annoncée, depuis, dans plusieurs pays et tout dernièrement encore à Berlin, il suffit de vous renseigner. Les journaux en ont parlé en novembre 1969.

Je n'étais pas là et les jeunes salopards sont sortis de la maison indemnes.

Nous rentrons le lendemain à Los Angeles et je me rends directement de l'aéroport au chenil.

XII

Je reconnais que l'idée de guérir Batka prenait dans ma tête des proportions symboliques : elles ne peuvent être comprises sans un haussement d'épaules narquois que si l'on se fait une certaine idée aristocratique de l'homme. Je suis un de ces démocrates qui croient que le but de la démocratie est de faire accéder chaque homme à la noblesse. Or l'Amérique est le seul pays au monde qui ait *commencé* par la démocratie...

Mon système nerveux, réputé de pierre, commençait à craquer.

Il y avait des nuits où je me réveillais terrifié, convaincu que, pendant mon absence, ils — Keys ou « Noé » Jack Carruthers — avaient piqué Chien Blanc par pitié, parce qu'il était vicieux et irrécupérable, et je pensais alors à un Allemand que j'avais écouté dans un compartiment de chemin de fer, comme je revenais de Suède, en 1937. « Entendu, ce n'est pas la faute des Juifs. On les a rendus comme ça. A force de leur cracher dessus et de les rabaisser pendant deux mille ans, on les a rendus dégueulasses. On les a convaincus, quoi. Seulement, voilà : maintenant, ils sont *gâtés*. Empoisonnés. Ils sont irrécupérables. On ne peut plus les guérir, ils sont viciés, déformés. On devrait les tuer

sans douleur, par pitié. C'est un service à leur rendre. »
J'avais attaqué le gars avec une bouteille de bière, cinq
jours de tôle à Düsseldorf.

Je téléphonais à Carruthers tous les jours, il en avait
marre. Il me répondait chaque fois : « Je ne m'en occupe
plus. C'est Keys qui a pris votre toutou en main. Foutez-
moi la paix. »

Keys... J'avais rarement rencontré un homme qui me
fût... comment dire? aussi *symétrique*.

C'est un dimanche et il n'y a personne au ranch.

Le gardien, Bill Tatum, un vieux trapéziste de chez
Ring Bros, âgé aujourd'hui de plus de soixante-dix ans,
me rassure : le chien se porte bien, très bien même. Oui,
Keys s'occupe toujours de lui... le vieux se tait, semble
vouloir ajouter quelque chose, paraît embarrassé, bafouille
quelques mots appropriés sur le « smog » qui gâche le
printemps et me donne les clefs.

Batka me reconnaît tout de suite. Je constate avec soulagement qu'il a bonne mine, l'air bien nourri et le poil
luisant. Les premières effusions passées, il court vers la
laisse, me regarde, aboie, m'informe qu'il a envie de se
promener. Je l'emmène courir au Griffith's Park, où il gam-
bade pendant une heure en se grisant de bonnes odeurs
sauvages. Sur le chemin du retour, je m'arrête au vieux
Hugh's Market, ouvert le dimanche, pour faire des provisions, laissant le chien dans la voiture.

J'ai dû passer environ un quart d'heure à faire mes
achats. En revenant dans le parking, les bras chargés, je
vois que Batka était sorti de la voiture, après avoir sans
doute baissé avec son museau la vitre que j'avais laissée
entrouverte pour lui donner de l'air. Il y a là une voiture
d'enfant parquée contre le mur par une de ces jeunes

mères au pantalon multicolore qui abondent dans le coin, et Batka, les pattes de devant appuyées contre le landau, est en train de regarder à l'intérieur avec intérêt; je souris, je fais quelques pas vers le landau et...

Je crois que je n'ai jamais eu aussi peur de ma vie, et pourtant...

Mes paquets sous les bras, je reste figé sur place, le corps glacé...

Le bébé est un bébé noir. Batka le regarde fixement. Le museau de la bête est à dix centimètres à peine du petit visage.

Et puis...

Batka me jette un coup d'œil vif, comme amusé, puis regarde à nouveau l'enfant et se met à remuer la queue.

Mon soulagement et ma gratitude sont tels que je sens des larmes dans ma gorge.

Je m'approche du chien, je le prends doucement par le collier. Ses oreilles sont dressées, il remue toujours la queue, et son regard a cette expression attentive et amusée du chien qui a trouvé un compagnon de jeu.

Le bébé gigote et rit.

Batka le renifle, puis essaie de lui lécher la figure.

Je l'entraîne tout doucement vers la voiture, ferme la portière et demeure un long moment écroulé sur le volant, vidé de toutes mes forces.

Je me reprends en main et roule vers San Fernando Valley, caressant parfois le chien qui se tient sagement à côté de moi. Je raconte le miracle au vieux Tatum, mais le vieux n'a pas l'air ravi. Il jette à Batka des regards bizarres. On dirait qu'il se méfie et qu'il a même un peu peur de lui.

— *Animals*, dit-il, d'un air vague. Oui. Je connais. On peut en faire ce que l'on veut...

J'attends avec impatience le retour de Jean à la maison pour lui annoncer la nouvelle. Chien Blanc est en bonne voie de guérison. Évidemment, ce n'était pas encore un vrai Noir, ce n'était qu'un bébé, mais le progrès est tout de même évident... Elle ne parut guère partager mon enthousiasme. Elle écouta mon récit, ôta ses chaussures et dit avec un peu d'irritation :

— Oui, eh bien, à ce train, ça va prendre encore soixante-quinze ans. Qui est-ce qui a le temps d'attendre ?

A ma grande surprise, le lendemain matin, « Noé » Jack me ressortait à peu près la même chose :

— Si on doit commencer au berceau, on n'a pas fini de rigoler... *There'll be lots of fun.*

Il avait fait une sale gueule en me voyant entrer dans l'infirmerie où il se trouvait, Jacky-Boy. Une vraie tête : « Oh *shit*, merde, encore celui-là. » Ma vue semblait lui faire le même effet qu'un verre de vinaigre lentement dégusté. Il est vrai qu'il était en bonne compagnie. Sur la table, devant lui, il y avait une nichée de *chihuahuas*, à peine plus grands que des souris et qui paraissaient faits de gélatine rose. Il était en train de les nourrir au compte-gouttes. Au fond de la salle, le vétérinaire, aidé par un assistant, s'occupait de Miss Bo, la distinguée dame chimpanzé qui vous incite chaque soir, à la télévision, en vous donnant l'exemple, à vous brosser les dents avec le nouveau dentifrice « cent pour cent meilleur » et aux enzymes, naturellement. Miss Bo avait avalé un tube de dentifrice entier et devait subir un lavage d'estomac.

— Je vais vous dire, Gary...

Les Américains transforment toujours mon nom, bien

russe — *gari* veut dire « brûle », l'impératif de brûler —,
par un changement phonétique, en un prénom américain.
Comme c'est un des prénoms les plus communs qui
soient là-bas, je me sens transformé en Nénesse.

— Vous n'aimez pas les bêtes. *You have no use for animals.*

— Demandez à mes amis si...

— Ce chien, pour vous, est devenu une abstraction.
Je l'ai vu dès le début. Pour Keys aussi. Vous êtes contagieux, vous autres intellectuels.

— Foutez-moi la paix, avec vos intellectuels, Carruthers. Si vous ne pouvez pas les blairer, faites-vous élire
maire de Los Angeles.

Il dit, avec une sorte d'admiration :

— *The son of a bitch,* l'enfant de pute! Il faut qu'il
tienne vraiment à sa petite idée fixe. Ça fait six semaines
qu'il met tous les jours son fils âgé de trois ans dans la
cage du chien.

— Qu'est-ce que vous racontez?

— *The first time, he scared the shit out of me...* Il m'avait
drôlement fait peur, la première fois...

Carruthers arrive au ranch par Magnolia Boulevard,
et bien que de ce côté-là l'enclos soit caché à mi-hauteur
par des buissons de lauriers blancs et roses, on aperçoit
les chenils, avec la grande cage de Batka au premier plan.
On voit également de ce côté-là Waltzing Matilda, la
girafe solitaire — rien ne paraît plus solitaire qu'une girafe,
lorsqu'elle se détache toute seule sur l'horizon — et l'entrée de la fosse aux serpents, avec l'inscription ironique en
grosses lettres rouges : WE ARE A BUNCH OF DEADLY
SNAKES AND WE DON'T LIKE YOU EITHER. KEEP
OUT. « *Nous sommes une bande de serpents venimeux et nous
sommes prêts à vous le prouver. N'entrez pas.* » La demeure

des chimpanzés est un peu plus loin, à droite, plus luxueuse que le reste de cette petite zone résidentielle, car plusieurs des *chimps* sous contrat avec Jack Carruthers figurent parmi les plus grandes vedettes du grand et du petit écran, et Jack se sent obligé de leur assurer un certain standing.

C'est en arrivant au coin de Vale, au moment de prendre le tournant, que Jack aperçut Batka derrière la grille et faillit percuter une bouche d'incendie : il y avait un enfant noir seul avec le chien au milieu de la cage. Il eut tout juste le temps de redresser la voiture et de saisir le cigare qu'il avait laissé tomber, prit le tournant et fonça vers l'entrée du ranch. Deux minutes plus tard, il était dans la cage. C'est alors seulement qu'il put constater que, contrairement à ce qu'il avait cru, l'enfant n'était pas entré par hasard dans la cage, mais que quelqu'un l'avait mis là : le chien était retenu par une chaîne et l'enfant par une ceinture attachée à la grille. Il n'y avait aucun danger. Jack ne connaissait pas la famille de Keys, il ne savait pas à ce moment-là que le bébé était le fils de son employé chéri. Il poussa des coups de gueule effroyables. Lorsque Jack gueule, c'est quelque chose, et je ne parle pas seulement de folklore, mais presque de culture, de solides connaissances religieuses et littéraires, et d'un talent certain dans l'imagerie. Tous ceux qui se trouvaient à portée de sa voix accoururent immédiatement, et Keys le premier. Il avait réagi si rapidement qu'il tenait encore enroulé autour de son bras un serpent de je ne sais quelle espèce dont il était occupé à extraire le venin et qu'il n'avait pas eu le temps de remettre dans la fosse. Il se tenait là devant Jack avec le serpent qui ouvrait la gueule au-dessus de son poing serré. Il y eut une explication orageuse. Jack apprit ainsi que, depuis plus d'une semaine, Keys mettait son fils dans la cage de Chien Blanc.

Je dois dire que, pendant qu'il me racontait cette affaire, la première explication ou, plus exactement, le premier soupçon qui me vint à l'esprit fut celui-là même qui avait traversé le cerveau de Carruthers, et il ne nous fait pas honneur, ni à l'un ni à l'autre. L'espace d'un instant, nous crûmes tous les deux que Keys essayait de *dresser* son fils. Le spectacle qu'offrait Batka lorsqu'il se déchaînait était effrayant, et, dans ces perversions de l'imagination où mène l'abus interprétatif dans tous les domaines où s'exerce notre délire logique, je me suis dit : il veut dresser l'enfant. Il veut l'habituer à l'image de la haine, pour qu'il *apprenne*. Qu'on ne m'accuse pas d'être un écrivain aisément victime de ses excès d'imagination : la même idée avait germé dans la cervelle de Jack Carruthers, ce qui explique sa colère. Il ne s'agissait pourtant pas du tout de cela. Keys connaissait bien les chiens et l'attitude protectrice et paternaliste des chiens puissants, sûrs d'eux à l'égard de tous les petits, aussi bien ceux des bêtes que ceux des hommes. L'enfant ne risquait rien, mais il avait quand même pris la précaution de les attacher tous les deux et de les tenir séparés.

— J'avais d'abord mis le gosse à l'extérieur de la cage, expliqua-t-il. Le clébard lui a fait tout de suite des signes d'amitié. J'ai fait ça pendant plusieurs jours, pour être tout à fait sûr, et puis Chuck a voulu aller jouer avec le toutou...

— Pourquoi avez-vous fait ça ?

Keys le regarda dans les yeux, en souriant.

Jack me dit : « Non, on peut pas dire qu'il me regardait. Il me visait. »

— Pourquoi faites-vous tout ça?

— Je veux que le chien s'habitue à *notre* odeur...

« J'eus soudain une envie folle de lui casser la gueule, me dit Jack. C'était comme s'il m'insultait, moi. Mais il faut bien dire que cette connerie à propos de l'odeur a joué un tel rôle dans la ségrégation que je n'avais strictement rien à dire. J'ai tout avalé. »

— Maintenant, c'est gagné, conclut Keys. Si vous voulez, vous pouvez aller à l'intérieur de la cage et les détacher. Le chien sera heureux et le gosse aussi. Il n'y a absolument aucun risque. J'en prends la responsabilité.

— Si vous êtes complètement dingue, allez le faire vous-même.

Keys tendit la main.

— Tenez.

Jack saisit rapidement le serpent. « Dans ces cas-là, m'expliqua-t-il, il faut agir vite, pour le prendre au bon endroit, et je suis sûr que si j'avais fait mine d'hésiter, Keys me l'aurait jeté dans les bras, comme ça. J'étais trop préoccupé par le serpent pour essayer en même temps de retenir ce démon que je paie huit cents dollars par mois. Je restai donc là, le serpent au poing, qui se tortillait de toute sa longueur, pendant que Keys entrait dans la cage. Nous étions quatre ou cinq autour à regarder, transformés en statues, car aucun de nous ne savait que Keys avait déjà réussi à faire copain-copain avec Chien Blanc, sauf peut-être le jeune Terry, qui était en train de se marrer. Bon, tout ce que je peux vous dire, c'est que Keys entra dans la cage, détacha l'animal et l'enfant, et qu'il ne se passa rien. C'était gagné. Votre flic s'était approché du morveux et lui léchait aimablement la figure, et le gosse riait, et Keys tapotait le derrière du chien, une vraie famille heureuse. A partir de ce moment-là, vous comprenez, je n'avais plus rien à dire. Qu'est-ce que vous voulez que je dise? Après tout, je m'étais trompé. Je n'aurais jamais cru que l'on pouvait défaire le dressage d'un vieux chien-flic, je croyais que c'était trop tard, que c'était dans le sang. J'avais tort. Lorsque j'arrivais le matin au ranch et que je voyais l'enfant et le chien se faire des mamours dans la cage, je sentais que j'appartenais à la vieille génération des dresseurs, et qu'on fait mieux aujourd'hui, c'est tout. Il y a maintenant dans la cage des scènes idylliques... Le retour au paradis terrestre... Il n'y a plus que les serpents qui refusent de marcher. Ils se méfient. Moi aussi... »

Je dois avoir l'air aussi ému que si la bonté et l'amour universel triomphaient soudain sur terre aux accords du chœur céleste.

— Votre Keys, c'est vraiment quelqu'un.

On ne peut évidemment pas prétendre qu'il soit possible de lire une pensée dans un regard. Mais celui que Jack posait sur moi était tellement éloquent et tellement explicite que cela disait clairement : « Bougre de con. »

Au fond de la salle, Miss Bo poussa un gémissement de dame en couches. Jack jeta son cigare.

— Keys et votre clébard sont devenus de vrais copains, me dit-il. Allez donc voir. J'ai du travail.

Il me tourna le dos.

Il faut avoir vraiment réussi à préserver en soi quelque trace indéracinable de celui que l'on fut avant cette grande défaite qu'est la maturité pour être encore capable d'éprouver cette belle joie émue qui fut la mienne lorsque je trouvai dans la cage Keys assis par terre, occupé à extraire les tiques que Batka avait sans doute ramenées de ses vadrouilles dans la nature la veille. Le chien est couché sur le dos, les pattes en l'air, et se laisse faire avec volupté. Keys lève la tête, me lance : « *Hi there* », et se remet à ses petits soins.

Scène de paix et d'amitié. Soleil. Eucalyptus. Douceur idyllique. Des poules caquettent autour de la cage. Des poules *blanches*... On devient complètement dingue dans ce pays.

Batka est toujours sur le dos, en pleine extase, cependant que Keys lui frotte le ventre avec une brosse dure. Il ouvre à demi un œil, remue la queue poliment à ma vue.

Ce chien est en train de sourire. J'ai connu deux ou trois chiens, dans ma vie, qui souriaient, et Batka est de ceux-là. Cela consiste à découvrir les dents dans un frétillement de babines, *skalitsa*, comme on dit en russe, au cas où vous aimeriez les mots précis.

— Vous y êtes arrivé, dis-je.

Il continue à frotter le ventre de la bête.

— Pas encore, dit-il.

— On ne peut pas faire mieux.

— Si, dit-il. On peut. *Sure you can.*

Il observe le chien couché à ses pieds d'un regard de connaisseur.

— On peut faire mieux. Mais il faut le temps...

...Je le revois encore, debout au milieu de la cage, et maintenant qu'une année est passée et que tant de choses sont arrivées, loin de s'estomper, sa présence ne fait que grandir à mes côtés au point de prendre par moments une dimension presque mythologique.

... Je ne risque pas de l'oublier.

C'est un de ces *lanky Americans* aux hanches étroites qui poussent tout en hauteur par quelque vertu secrète du sol américain. Une petite moustache noire au-dessus de lèvres minces, où l'on devine la trace de quelque lointaine latinité et un de ces regards qui n'attendent rien de vous et n'ont rien à vous offrir, ni confiance, ni sympathie, ni rancœur. C'est un regard où tout est caché et qui ne vous fréquente pas. Le visage a une rudesse de taille qui triomphe de la finesse des traits, et son absence délibérée d'expression lui donne un aspect immuable et granitique où il est facile de déceler ce qu'on appelle « sauvagerie » chez les guerriers africains, et « profil de médaille » chez les légionnaires romains ou les condottieri de la Renaissance.

Sur les mains, de nombreuses cicatrices de morsures de serpents. Tatum m'a dit que cet homme étrange est doué d'une immunité presque magique, qu'il est totalement insensible à tous les poisons des serpents américains, complètement mithridatisé... « Peut-être, avait ajouté le vieux en me faisant un clin d'œil, peut-être qu'il a son petit secret, de père en fils, des herbes spéciales, est-ce que je sais... » Mais ce n'était qu'une insensibilité acquise où entraient sans doute à parts égales l'action des sérums et les doses de poisons accumulées. Je l'ai vu moi-même dans la fosse aux serpents, debout parmi les grouillants, occupé à extraire de ses mains nues le venin d'une vipère qui se tordait à son poing. Dommage que ce soit tellement plus difficile avec les hommes...

Il se dresse parmi les serpents d'un air indifférent et comment ne pas sentir qu'il se *dresse victorieusement*, que cet Américain noir ne peut plus être touché...

Il se penche sur le chien, lui caresse le ventre. Batka ferme les yeux de bonheur.

J'ai aux lèvres un de ces sourires mouillés de tendresse où se retrouve toute l'humidité des mouchoirs victoriens.

— Il y a encore du boulot, avec le toutou, dit Keys. C'est vrai qu'il m'accepte. C'est moi qui lui donne à bouffer. Je le promène. Je le soigne, je lui gratte le ventre. Je suis aux petits soins avec lui... Alors, il veut bien se montrer gentil avec moi... Je suis son *house-nigger*.

Mon sourire se casse en deux et disparaît.

Irrécupérable, ce salaud-là. Il a décidément la mémoire historique...

Vous souvenez-vous bien de ce qu'était un *house-nigger*, un « noir de maître » ? C'était un domestique noir qui se frottait à ses maîtres, les servait avec dévouement, jouait avec leurs enfants, et à qui les maîtres, en échange, prodiguaient leurs bontés et assuraient une situation privilégiée parmi les autres esclaves...

Aujourd'hui, les militants utilisent cette expression pour désigner les Noirs qui ont réussi dans la société blanche et qui ont fait leur chemin dans *the establishment*...

— *I'm his house-nigger*...

Keys sort de la cage. Il allume une cigarette, avale la fumée rêveusement, jette l'allumette... Il lance, sans me regarder :

— Vous ne voulez pas me le donner ?

Je sens bien qu'il se trame quelque chose, derrière ce regard qui m'évite...

— Pourquoi y tenez-vous tellement ?

Il me tourne le dos.

— *You can't give up on a dog*, dit-il sourdement. On ne peut pas laisser tomber un chien...

J'hésite. Je dis prudemment :

— Je vais en parler à ma femme.

Je roule à travers les collines, descends Coldwater, passant des eucalyptus aux palmiers, et il me semble que le regard de Keys me suit, ce regard camouflé, si attentif à ne pas se trahir...

Assez. Je ne vais pourtant pas me laisser hypnotiser par cette hostilité que je sens si intensément, comme si elle me suivait...

Je m'arrête devant la maison de Stas, le bâtisseur de villes idéales, modèle réduit. On me dit qu'il vit ses derniers jours et que c'est un vrai miracle de ténacité. Je suis sûr que c'est la volonté de finir sa cité radieuse qui le tient en vie.

XIII

Un jeune Noir m'ouvre la porte de la petite maison sur pilotis enfouie dans la végétation touffue de Laurel Canyon.

Je trouvai Stas assis dans son hangar, devant sa « cité radieuse ». La ville avait grandi : la Maison de la Culture, les palais ouvriers, les musées, les universités, les centres de loisirs, les clubs professionnels, les usines extérieures, les espaces verts, un édifice surnommé « La Permanence de la Liberté », le quartier des écrivains, des musiciens ou des artistes, les piscines et les stades avaient belle allure. Seule l'Église universelle paraissait encore hésiter entre diverses conceptions architecturales. Avec ses minarets, ses dômes, ses flèches et ses symboles qui unissaient la croix, la faucille et le marteau, le croissant et d'autres emblèmes plus ou moins obscurs, elle ressemblait à un fourre-tout, du reste parfaitement vide.

Stas avait maigri terriblement. Vêtu d'une robe de chambre aux couleurs psychédéliques, il se tenait dans son fauteuil, contemplant son œuvre d'un œil triste. Il guettait dans nos regards braqués sur son Brasilia personnel une lueur d'approbation.

— Très beau, dis-je. Ça manque un peu de prisons,

et ton stade devrait être entouré de fils de fer. Presque tous les matches de football en ce moment dégénèrent en bagarres meurtrières. Il faut protéger le ballon.

J'apprends que le jeune Noir qu'il héberge est traqué par la police.

Il arrive justement avec des thermos de thé que Stas boit pour ainsi dire sans discontinuer, torturé par une soif caractéristique de son mal. Le gars tient l'*Examiner* à la main et se met à parler aussitôt avec cette volubilité par laquelle on se libère plutôt qu'on ne s'exprime.

L'objet de son indignation : deux lignes dans le journal informant le public que la caisse d'un *liquor store* a été attaquée ce matin par « deux hommes ».

Les coupables ont été blessés et arrêtés. Leurs noms sont indiqués, le jeune protégé de Stas les connaît. Il est indigné parce que le journal passe sous silence le fait que les deux attaquants sont des Noirs...

— La presse a pour consignes de la boucler, ne jamais nous laisser bénéficier de la publicité. Il s'agit de faire passer notre lutte pour du gangstérisme *sans couleur*. Autrement dit, châtrer le « pouvoir noir », nous priver du fruit de notre action révolutionnaire, taire le fait que nous sommes passés partout à l'attaque. Nous allons exiger que, chaque fois qu'un « crime » est commis par des frères, les journaux disent en toutes lettres que ce sont des Noirs qui ont frappé. Sans ça, on fera sauter des salles de rédaction. Ils se gardent bien d'annoncer la couleur. Ils mettent « John Smith » et c'est tout. Pourquoi?

Il ricane. Son visage est inondé de sueur. Assis sur une caisse, il boit une tasse de thé après l'autre. Je me surprends à penser que je n'ai jamais vu un Noir boire ainsi du thé comme un Russe. Le bougre doit crever de froid nerveux. Je connais cette expression tendue, fiévreuse, cette agressivité, ces frémissements : c'est le visage de la peur.

— Pourquoi? Pour dissimuler notre force aux yeux des masses noires qui seraient fières de nous et se sentiraient encouragées, nous aideraient encore plus; ils veulent cacher les proportions que ça prend. Soixante-quinze pour cent de ce qu'ils appellent « crimes » sont commis par nos frères. Il faut qu'on le sache. Mais la presse blanche se garde bien de parler : ils savent tous que chacun de ces crimes est en réalité un acte de guérilla et ils ne veulent pas nous aider à faire peur au monde.

Je reste là, baba. Depuis toujours, depuis des générations en tout cas, le code tacite de la presse américaine est de ne jamais indiquer l'origine ethnique, la « race » d'un criminel. Lorsque certains journaux réactionnaires brisaient ce code et indiquaient la couleur de la peau d'un assassin, les responsables noirs protestaient violemment. On considérait cela comme un encouragement au racisme.

Voilà maintenant que le processus est inversé. Les militants veulent annexer les criminels et capitaliser leurs actes dans des buts politiques, comme les anarchistes du XIXe siècle voyaient dans tout crime une manifestation de rébellion sociale. Tout gangstérisme est baptisé « terrorisme ». Chaque Noir qui viole une Blanche se venge idéologiquement. Cleaver lui-même déclare avoir violé une femme blanche « idéologiquement » et s'en explique dans son livre. Du reste, la tendance psychiatrique actuelle est de donner à tout crime un contenu social. Toute tuerie devient une guerre sainte, il n'y a plus de crapules, il n'y a que des héros. Jolie idée, mais elle présente un inconvénient : aux yeux des masses américaines, qu'elles soient blanches ou noires, tout terroriste politique, qu'il soit un Blanc ou un Noir, devient ainsi un *criminel de droit commun.*

Autrement dit, parce qu'on a voulu faire des criminels de droit commun des héros, il devient extrêmement facile de présenter les rares héros authentiques comme des criminels de droit commun.

Je dis rapidement à Stas, en polonais :

— Il délire, ton zèbre.

Mon pauvre chevalier des lendemains radieux murmure dans sa moustache blonde tombante qui ressemble à des queues de chien jaune :

— Il a des ennuis, en ce moment.

Je regarde le paumé sans l'écouter, ce qui me permet de le voir mieux. Ses mains tremblent. Il sue abondamment et, contrairement à ce que je croyais, ce n'est pas le thé. Les yeux sont agrandis, fixes, aussi fixes que les lèvres sont mobiles.

— Il est en train de faire une dépression nerveuse, dit Stas.

— Quelque chose de précis?

Stas hésite, baisse les yeux, contemple le Musée d'Art moderne, au cœur de son paradis terrestre à venir, soupire, ne répond pas...

— La confiance règne, dis-je.

Une chose est sûre : le type est complètement terrorisé. Une frousse énorme, totale, un raz de marée.

— Tu devrais lui donner des tranquillisants.

— Ne dis pas de bêtises...

Il a raison. Vous voyez ça, un Blanc administrant des tranquillisants à un activiste noir? Ce serait pris comme une insulte. C'est lui signifier qu'il déraisonne, mettre en doute la validité de ses actes.

L'ennui avec les excités, c'est que c'est contagieux. *Je sens ma colère monter sans raison.* Je souligne cette phrase, parce que cela explique comment les passions frénétiques gagnent et font boule de neige pour se transformer en chiennerie. Ma respiration s'accélère. Je suis déjà obligé de me dominer.

Il doit avoir lu quelque chose de mauvais dans mon regard, parce que je reçois à la figure la formule classique et ravissante de tous les racismes et de tous les nationalismes :

— Vous ne pouvez pas comprendre. Vous n'êtes pas américain.

— Parce que vous, finalement, vous vous sentez malgré tout américain ?

Il jette un regard vers Stas. Un véritable regard de gosse blessé.

— Comment peux-tu manquer à ce point de sympathie ? murmure mon ami.

— Je dois le ménager ?

— C'est de moi que vous parlez ? lance l'agité, soupçonneux.

— Oui, dis-je. J'en ai marre de traiter chaque Noir qui déconne avec des égards dus aux femmes enceintes.

— Et si tu faisais un tour dehors ? me suggère Stas, avec tact.

Je me retiens. J'essaie, plutôt. Mais mon excité me regarde avec des tics nerveux, de véritables rictus de haine, et je vous dis, c'est contagieux : je commence à sentir de petits zigzags qui courent sur ma figure, on dirait que sa haine fait des vagues et que celles-ci ont sauté de son visage sur le mien. Nous restons là un moment en silence à nous renvoyer nos tics. Je dis d'une voix un peu aiguë :

— D'abord, si vous haïssez les libéraux, ainsi que vous le proclamez tous, qu'est-ce que vous foutez ici, sous le toit d'une malheureuse poire libérale notoire ?

Il m'envoie un tic maison, que je lui renvoie aussitôt. Puis ça part, la formule classique, d'une voix gutturale, la gorge serrée, et il récite sa leçon :

— Ça, c'est *son* problème...

Il avale sa pomme d'Adam et moi ma salive.

— S'il veut nous aider, ça le regarde. Et il sait que nous l'utilisons.

— Exact, dit Stas, masochiste comme un pot de chambre.

— Vous autres, libéraux, vous vous faites plaisir en nous aidant, c'est votre façon de *vous* faire plaisir. On ne vous doit rien.

— Il commence à me faire chier d'une manière absolument démesurée, ton cocu, dis-je, d'une voix étranglée.

Je suis complètement raidi par la fureur. J'éprouve un besoin presque physique de ségrégation totale, de merveilleuse aliénation, de quelque prodigieuse sortie hors de l'humain afin de pouvoir devenir enfin ce rêve inaccessible, un homme.

Et mes pensées, comme toujours, font des bonds elliptiques. Je me surprends à penser : *On n'a pas le droit de faire ça à un chien...*

Je ne pense pas à Batka. Je pense à nous tous. Qui donc nous a fait *ça* ? Qui donc a fait *ça* de nous ?

Ne venez pas me parler de « société ». C'est la nature même de notre cerveau qui est en cause. La société n'est qu'un élément du diagnostic.

— Ce garçon est en danger de mort, murmure Stas.

— Les flics?

— Non.

J'ignore si Stas — paix à son âme dans cette cité radieuse où elle se trouve aujourd'hui, en train d'œuvrer, sans doute, à un paradis meilleur et plus juste, mieux fait, et avec plus de verts pâturages plus équitablement distribués —, j'ignore s'il connaissait vraiment toute l'horreur de la situation du garçon qu'il hébergeait.

« Traqué par la police » n'était en effet qu'une astuce de la police, pour établir une réputation de mouchard. Je n'ai pas le droit de l'affirmer. Je me trompe probablement. Je n'ai entendu le nom du malheureux qu'une fois : c'était peut-être bien Rackley, mais ce pourrait être aussi bien Rigley, ou quelque chose d'approchant. Je ne suis sûr que du prénom : c'était Alex. Et le cadavre d'un certain Rackley, vingt-trois ans, portant des marques de torture — brûlures de cigarettes et d'eau bouillante, perforations multiples — a été découvert au printemps 1969 dans le Connecticut. En août de la même année, Bobby Seale, le chef des Panthères Noires, était arrêté et accusé de meurtre.

Alex Rackley était un informateur du F.B.I., et Bobby Seale, selon la police, aurait participé à l'« interrogatoire » et à l'exécution du jeune homme, selon nos vieilles méthodes de la « question », connues aussi bien de notre armée en Algérie que des fellagha. Rackley faisait partie des Panthères Noires depuis à peine huit mois : les dates coïncident, et s'il s'agit bien du même garçon, la dépression nerveuse serait facile à expliquer. Sans doute venait-il de faire le grand saut de la trahison...

Mais peu importe son identité. De quelque côté qu'on aborde le problème, il n'y a que provocation,

148

informateur, infiltration, horreur et souffrance, on ne risque pas de se tromper. Ce qu'il y a de typique, c'est qu'il y avait dans cette affaire un autre « mouton », George Sams Jr., vingt-trois ans, qui avait livré Bobby Seale. Et cela aussi soulève des questions et des hypothèses encore plus passionnantes... Bobby Seale était le dernier chef des Panthères encore en liberté. Comment avoir sa peau ? En l'informant qu'il y avait un traître dans le mouvement... A partir de là, tout ne pouvait manquer de se dérouler comme prévu... Rackley était ainsi délibérément sacrifié par ceux qui l'employaient ?

Je tiens à le préciser aussi clairement que possible — vous êtes prévenus —, je ne formule des hypothèses que pour traduire un peu de l'atmosphère empoisonnée, atroce, de soupçon et d'insécurité, de méfiance, de provocation et d'état de siège dans laquelle vivent les activistes noirs.

Je sors de là, écœuré, exaspéré et coupable. J'aurais dû me retenir. Mais je me dis : c'est contagieux. Il faut être dans un état d'équilibre parfait pour ne pas se laisser déséquilibrer par les déséquilibrés.

Je commençais à en avoir assez du problème noir, ce qui me donne une toute, toute, toute petite idée, enfin, de ce que doivent ressentir les masses noires elles-mêmes. J'éprouve le besoin dévorant d'une ségrégation, d'une aliénation absolument sans précédent dans l'histoire de la solitude. Avec en moi un tel besoin de séparatisme, il faudrait pouvoir créer un monde nouveau. Je m'y mets immédiatement : je passe tout l'après-midi à écrire.

XIV

Chaque fois que j'arrive au chenil, je me sens à présent un gêneur. Une belle amitié est en train de naître. Dès que son *trainer* entre dans la cage, le chien se dresse pour essayer de lécher la figure de l'homme noir, et lorsque Keys détourne le visage, la bête se frotte contre lui avec des grognements affectueux. J'assiste à ces effusions avec un sourire attendri et le sentiment rassurant que rien n'est jamais tout à fait perdu. Je suis fier de moi. J'ai fait une bonne œuvre. Je reste là avec l'impression de recevoir ma récompense, mon prix de vertu.

L'attitude de Batka, lorsque nous sommes réunis tous les trois dans sa cage, est pleine de tact. Dès qu'il me voit arriver, il vient à moi en retroussant les babines dans un sourire aimable et en tortillant du croupion, et se livre ensuite à son jeu favori, lequel consiste à me mordiller la barbe à petits coups de dents, comme pour chercher des puces. Il va ensuite vers Keys pour se frotter contre lui, revient vers moi et recommence plusieurs fois ce manège. Une personne douée d'une imagination de romancier aurait dit qu'il nous invite ainsi à fraterniser, à nous rapprocher l'un de l'autre et à sceller un pacte d'amitié.

— Eh bien, dis-je à Keys, au cours d'une de ces visites, je crois que le chien est prêt à quitter le zoo et à reprendre sa place dans la société... Il est guéri.

— Vous aurez encore des ennuis. Il m'accepte parce qu'il a appris à me reconnaître personnellement. Il fait une exception. Mais, tenez, lorsque Terry ou un autre Noir s'approche de la cage, ça le reprend. Il écume de rage. Je vous dis, je suis son *house-nigger*.

Il a un de ces longs rires silencieux où les dents prennent toute la place.

— Il y a maintenant pour lui des *good niggers* et des *bad niggers*.

— Vous ne pouvez quand même pas empêcher un chien de faire une distinction entre ceux qu'il connaît et les étrangers. C'est normal.

— Oui, c'est normal. Mais ce qui n'est pas normal, c'est que l'odeur des Blancs ne lui fait rien, alors que l'odeur des Noirs...

— Ah, écoutez, mon vieux, vraiment...

Keys est assis sur ses talons. Il donne encore une bourrade au chien et se relève.

— Je fais une simple constatation technique. La première chose qui joue dans le dressage, surtout avec les chiens policiers, c'est l'odorat. La preuve, c'est qu'on a pu apprendre au chien à flairer les *siens*...

Il n'y a pas trace d'arrogance dans son attitude. Au contraire, une sorte d'extrême tranquillité. Toute une littérature parle d' « excitabilité » à propos des Noirs. Ce qui frappe le plus chez les militants, c'est leur froideur. Ils se conduisent souvent comme s'ils avaient déjà été tués depuis longtemps.

— Où voulez-vous en venir, au juste?

— Je pense que vous devriez venir ici moins souvent.
Le chien ne sait plus très bien où il en est, il n'y a qu'à
le voir. Est-ce que vous pouvez me dire quelles sont
vos intentions? Vous comptez l'emmener en Europe, ou
quoi? Je vais vous parler franchement. Le toutou me fait
perdre beaucoup de temps. Je me donne beaucoup de
mal.

— Je sais.

— Si c'est pour que vous repreniez un jour le chien,
au revoir et merci...

Batka est assis entre nous. Sa queue balaie le sable.
Son regard va de Keys à moi, comme s'il comprenait
qu'il s'agit d'une décision importante qui le concerne.
J'hésite. Je me sens comme un homme qui a charge
d'âmes. Il ne peut être question pour moi d'emmener la
bête dans mes courses à travers le monde, et pourtant,
si je disais à Keys « prenez-le », j'aurais l'impression de
trahir...

— Je veux savoir si vous allez me laisser le chien ou
non. Je vous pose la question.

Je continue à me taire. Sans qu'il s'en doute, cette soudaine mise en demeure de Keys touche ce que je considère
comme une tare orientale dans mon caractère : j'ai horreur
du définitif, de l'irréversible, du dernier mot. S'y ajoute
par-dessus le marché une curieuse mentalité de chef de
clan ou de chef de bande, de condottiere ou de satrape
oriental, je ne sais trop : je n'ai pas le droit d'abandonner
ceux qui dépendent de moi... Un curieux atavisme, et qui
a fait du chemin, depuis les temps où mes très lointains
ancêtres de la steppe asiatique, lorsqu'ils mouraient, se
faisaient accompagner dans l'au-delà par leur cheval, leur
faucon et parfois leur femme préférée...

— Alors?

— Le chien restera en Amérique, en tout cas. Si vous y tenez vraiment...

— J'y tiens.

— On en reparlera.

XV

De retour à Arden, je me replonge dans l'imaginaire : j'écris un roman d'amour. Je suis tiré de ma planète par celle que j'appellerai ici Clara, qui arrive avec son bel ami. J'avais réussi à l'éviter depuis mon arrivée à Hollywood. Je l'aime bien, mais elle me fait trop de peine.... C'est un de ces êtres que l'on ne peut aider et que l'on fuit précisément parce qu'on a envie de les secourir. Clara, semi-vedette de cinéma, ensuite vedette à part entière d'une « série » à grand succès à la télé, est connue parmi les activistes noires comme une *nigger-lover*. Ce terme de condamnation sans appel qui servait jadis aux Blancs racistes est utilisé aujourd'hui au moins autant par les Noirs que par les Blancs.

Je crois qu'il n'est pas aux États-Unis d'être humain plus méprisé par les extrémistes noirs qu'une femme blanche qui a des amants noirs. Et pourtant, il y a cinq, six ans, lorsque Clara n'en était qu'à ses débuts dans les « droits civiques », il n'y avait pas la moindre motivation sexuelle chez elle, et je me souviens même d'une réunion où elle s'était expliquée là-dessus avec beaucoup d'humour.

Il s'agissait de recueillir des fonds au profit de je ne sais plus quelle organisation, et la rencontre avait eu lieu dans sa maison de Bel Air. Elle était alors à l'apogée de sa célébrité télévisée, une grande fille mince, rouquine, avec ces taches de rousseur qui conservent aux visages des femmes un air d'enfance jusqu'à la quarantaine, après quoi elles ont l'air de s'excuser.

Il y avait quelques Blancs à la réunion, et une vingtaine de Noirs, hommes et femmes, certains venus avec leurs épouses. Ils étaient assis en rond dans le salon, presque tous habillés à l'africaine, les femmes sans perruque, dans cette démonstration de « négritude » et de nostalgie tribale qui ne remonte pas plus loin dans le temps, en réalité, que les cotonnades des manufactures de Manchester. Je ne vois d'autre avenir à ce besoin d'authenticité-là que les anneaux dans le nez, les plateaux dans les lèvres et les mutilations faciales.

Clara avait frappé dans ses mains pour réclamer le silence et l'attention. Son petit discours fut aussi rude que bref.

— Avant qu'on ne passe à l'ordre du jour, je voudrais faire une remarque qui s'adresse à un certain nombre de gars qui sont ici. Depuis que je suis dans le mouvement, il y en a pas mal qui ont essayé de coucher avec moi. Chaque fois que j'ai dit non, j'ai eu droit à une petite démonstration, d'où il ressortait que, dans mon subconscient, je reste profondément marquée par le racisme de ma Géorgie natale. Bon. Alors finissons-en une fois pour toutes. S'il y a parmi vous un type qui me prouve qu'en couchant avec lui j'apporte ma contribution à la lutte du peuple noir, eh bien, ma chambre est au premier, il n'aura qu'à me suivre. Je m'allonge tout de suite. Okay ?

Il y eut un éclat de rire général, qui cherchait surtout à cacher la gêne. Après quoi, les questions sérieuses furent discutées. Ce soir-là, Clara avait elle-même signé un chèque de quarante mille dollars afin de donner l'exemple. Pour disposer de quarante mille dollars, tous impôts payés, une comédienne, en Amérique, doit en gagner deux cent mille. Les trois quarts de tout ce que cette fille gagnait allaient à différentes œuvres de lutte pour l'égalité des droits.

Mais vous ne pouvez pas vivre et lutter aux côtés des hommes que vous admirez pour leur ténacité et leur courage et faire complètement abstraction des rapports normaux entre hommes et femmes. Clara eut un amant noir. Puis elle en eut un autre. Je crois qu'elle ne savait même plus qu'ils étaient noirs; vivant et travaillant parmi eux, il y avait longtemps qu'elle avait perdu de vue la couleur de leur peau. Mais c'était une époque, dans les années qui suivirent l'assassinat de Malcolm X, où le fanatisme en vase clos commençait à toucher à la folie ou à l'imbécillité, comme tout fanatisme. Le mot d'ordre des activistes est d'utiliser les Blancs sympathisants, mais de ne jamais oublier qu'ils sont des ennemis. *Gaming whitey*, cela s'appelle.

Je crois qu'on imagine difficilement ce qu'il peut y avoir de haine, de revanchisme, de terrorisme secret et de sadisme chez un fanatique noir qui couche avec une femme blanche ou qui la viole. Cleaver, le chef indiscuté des extrémistes, aujourd'hui en exil, s'est expliqué là-dessus à propos du viol qu'il avait commis; le récit figure dans son admirable biographie, *Soul on Ice*. Clara fut donc utilisée, baisée et méprisée.

Et comme presque toujours dans le cas des consciences protestantes, avec leur fond de diffuse culpabilité qui mène tout droit au masochisme, un « effondrement » s'était produit à un certain moment dans son psychisme. Elle avait commencé à se prendre pour une sorte de sainte victime expiatoire qui rachetait les crimes de la race blanche et l'exploitation des femmes noires par les hommes blancs depuis deux siècles. C'est exactement le genre de femmes que l'on trouve à la base de tout couple pathologique. Je crois aujourd'hui que son fameux petit discours si plein d'humour, cette phrase « si l'un de vous me prouve qu'en couchant avec lui j'aide le peuple noir dans sa lutte », venait de la profondeur d'un subconscient déjà voué à l'autodestruction. Le métier d'écrivain inspire parfois certaines confessions, et les récits de « dialogues d'amour » de Clara avaient cette effrayante banalité de tous les rapports sado-masochistes, puisque les conditions idéales de « tiens, prends ça, salope », « oui, mon chéri », se trouvent réalisées à la perfection.

Elle m'embrasse. Sa minceur était devenue osseuse, il y avait dans ses paroles, dans ses mouvements, une fébrilité où ne se devinait que trop facilement l'effet stimulant des *pep pills*. Clara était encore belle, mais c'était une de ces beautés qui commencent à annoncer une sécheresse parcheminée, où l'œil habitué aux saisons peut prévoir déjà, dix ans à l'avance, le masque de la cinquantaine. Elle était accompagnée d'un Noir en blazer bleu, très poliment moqueur, très à l'aise dans sa peau... Après les vingt minutes traditionnelles consacrées aux dernières brutalités de la police, aux accusations contre Ron Karanga, deux whiskys aidant, ce fut un de ces moments pénibles où l'ancienne vedette — un des *ex* les plus difficiles à porter — commença à parler des films qu'on lui offrait, des rôles qu'elle refusait, de ses agents successifs... Le jeune Noir regardait ses ongles. Nous étions horriblement gênés. Nous savions, et Clara savait que nous savions. On venait de lui proposer deux cent mille dollars pour jouer le rôle principal dans *Paint your Wagon*, film d'Alan J. Lerner, avec Lee Marvin, budget : vingt millions de dollars... Jean me jeta un regard désespéré. Elle avait accepté le rôle féminin principal du film quinze jours auparavant et le contrat était signé. Le jeune Noir se tourna brusquement vers la pauvre fille.

— *Why don't you shut up ?* cria-t-il. Tais-toi.

— *But, honey...* Mais chéri...

Il se leva d'un bond et alla lui enlever son verre.

— *You had enough.* Tu as assez bu.

Les yeux verts s'étaient emplis de larmes.

— *You are a bastard*, dit-elle. *You are such bastards, all of you. Now that I have no money left...* Tous des salauds. Maintenant que je suis fauchée...

Il se tourna vers nous. C'était un type bien. Il se trouve aussi qu'il a du talent. Sa première pièce de théâtre, une des meilleures de cette « école noire » qui prend actuellement en littérature la succession de l' « école juive », a ceci de remarquable qu'elle est totalement dépourvue de haine.

Il me dit qu'il n'y a pas un sou des trois cent mille dollars que Clara a donnés depuis huit ans qui soit allé là où il aurait dû aller. Ça s'est arrêté en chemin dans la poche des membres de l'un des quarante-deux comités qui se sont spécialement créés pour soulager non pas les Noirs, mais les Blancs. Il y a de petites organisations de Noirs dont le seul but est de soulager les Blancs, les soulager de leur argent, et soulager leur conscience. Ils mettent l'argent dans leurs poches et les Blancs se sentent mieux. Bientôt, chaque Blanc « coupable » qui est assez riche pour se le permettre aura sa propre organisation de Noirs chargée de l'aider à se sentir un type bien. Il n'y a pas plus de douze organisations noires vraiment valables dans ce pays... Le but des autres, ce n'est pas d'agir, d'aider le peuple, c'est d'exister elles-mêmes. Ça ne va pas plus loin... J'essaie de ne pas regarder Clara. D'ailleurs, elle n'est plus vraiment là. Ce qui reste, c'est ce que les stimulants font de vous lorsqu'ils se heurtent à l'alcool. J'ai connu une autre fille comme elle, une fille d'une extraordinaire beauté, dont le prénom était Lynn, une fille du Texas, qui avait été la vedette du film *La Flèche et la Flamme*. Un soir, elle s'était couchée, droguée, dans son lit pliant, et on avait trouvé son beau cadavre trois jours plus tard, coincé contre le mur par le lit qui s'était refermé.

Clara sanglote hystériquement. Elle dit à Jean :

— *I'll tell you, honey. You either work for them or you screw with them...* Ou bien vous travaillez avec eux, ou bien vous couchez avec eux... on ne peut pas faire les deux.

— *Shut up, I am telling you*, dit Mark. La ferme!

— Laissez-la parler, dit Jean. Ça soulage.

— Parce que si tu commences à mêler les deux, tout le monde croira que tu es pathologique. *They think you are gone pathological*. Personne ne croit plus que tu travailles avec les Noirs à cause de tes idées, mais seulement à cause de ton cul... *Give me another drink*. Donne-moi à boire.

Il lui enlève son verre.

— *No, you won't...* Il y a une réunion ce soir.

— ... Parce que, chérie, quand tu mélanges ça avec l'amour, tout est foutu. La plus grande vacherie que tu puisses leur faire, c'est de coucher avec eux. C'est ce que tous les racistes blancs et noirs veulent que tu fasses. Tu joues leur jeu. Comme ça, ils peuvent dire que les idées, la justice, tout ça, c'est une excuse pour s'envoyer en l'air... Il y a encore autre chose, chérie. Un salaud noir n'est pas un salaud parce que c'est un Noir. C'est un salaud parce que c'est un salaud.

— *Amen*, dit Mark. Tu tiens vraiment à aller à cette réunion?

— Évidemment. Il y aura Marlon Brando. Il y aura Jack Lemmon. Il y aura tout Hollywood. Je ne peux pas ne pas y aller. Je ne peux pas leur faire ça. Ils ont besoin de mon nom pour le prestige.

Et nous y sommes allés...

XVI

C'était dans la maison d'un producteur à Bel Air et la réunion était présidée par Coretta Martin Luther King et par le pasteur Abernathy, successeur de King. Et il y avait en effet tout Hollywood. Et il y avait en effet Marlon Brando. Et tous les autres.

J'en suis sorti malade. Il s'agissait de réunir des fonds pour la « grande marche des pauvres » sur Washington. Les organisateurs comptaient acheminer sur la capitale fédérale, par des moyens de fortune, une centaine de millions de démunis, noirs, mexicains, portoricains, indiens, qui devaient être hébergés dans le « village de pauvres gens », bâti à deux kilomètres de la Maison-Blanche.

Toute cette idée, conçue par Abernathy, portait la marque biblique d'un provincialisme complètement dépassé avec son lointain écho de la Vierge Marie sur son âne et de l'Étoile du Bon Berger. Et tout cela, à une époque où, en admettant qu'il y eût encore des rois mages, il y avait belle lurette que ceux-ci ne venaient plus que pour piller et s'emplir les poches.

Jusqu'au terme « les pauvres gens » qui situait délibérément la lutte hors de tout contexte politique et idéologique, et relevait d'une phraséologie de dame patronesse.

Imaginez une merveilleuse demeure de Bel Air, le quartier le plus riche et le plus chic de Californie, trois cents noms de tout ce que le Gotha hollywoodien compte de plus huppé dans le vedettariat, un buffet croulant sous le poids du caviar et du champagne, et le brave Abernathy invitant toutes ses brebis à verser généreusement des fonds pour aider les « pauvres gens » à marcher sur Washington. Seul le Révérend Jess Jackson, le pasteur « blouson noir », osa laisser tomber cette phrase : « On ne peut pas résoudre le problème de vingt millions de Noirs américains sans changer la société américaine tout entière. » Le pasteur Abernathy nous décrivit longuement les derniers instants qu'il avait passés dans la chambre du motel qu'il partageait avec Martin Luther King, au moment de l'attentat. Une pathétique et intolérable volonté de donner à ces moments une aura de sainteté et d'immortalité biblique transformait la brutalité du meurtre en une crucifixion de seconde main, dépourvue du génie narratif des apôtres.

Taisez-vous, docteur Abernathy. Voilà que vous nous donnez jusqu'à la marque de la crème à raser dont Martin Luther King s'était servi quelques minutes avant d'être tué. Voilà que vous nous dites qu'il vous a ensuite passé le tube, et qu'il vous a invité à vous en servir, parce que vous aviez oublié le vôtre. Je sais, je comprends. Cette crème à raser va devenir une relique. Elle aura une odeur de sainteté. Mais vous oubliez qu'il ne reste plus de place dans la Bible. Il y a longtemps qu'elle refuse du monde. Je vous jure que Dieu ne viendra pas à son rendez-vous noir. Il en a manqué bien d'autres.

Mon voisin, dont je tais le nom par égard pour ses

arrière-petits-enfants, profite d'une accalmie dans le discours pour me glisser à l'oreille :

— Vous avez vu cette salle ? Il y a là pour trente millions de dollars de spectacle. *Thirty million dollars of entertainment industry.*

C'est vrai. Ils sont tous là, depuis Belafonte jusqu'à Barbra Streisand, et ils écoutent le pasteur Abernathy leur parler de sa marche des pauvres et de cette crème à raser qui vient d'acquérir une odeur de sainteté. Au premier rang, Marlon Brando. Avec son épouse tahitienne. Une veste de cuir fauve, une crinière de lion, un col roulé qui lui avantage le menton... Il fut un des premiers à se dépenser sans compter pour la « cause » noire. Je mets le mot entre guillemets par pudeur, il a trop servi, il est à demi mort.

Il va au micro. Un regard sévère à la salle :

— Ceux qui ne sont pas là ce soir, il vaut mieux pour eux qu'ils aient une bonne excuse.

La menace jette un malaise : c'est un peu « joué ». Mais le pire est à venir. Après quelques mots sur les enfants du monde que la sous-alimentation mène à la dégénérescence — Brando a soutenu l'U.N.I.C.E.F. avec une générosité inlassable —, il demande des volontaires pour faire partie du comité directeur chargé d'assurer la continuité de l'effort qui est tenté ici ce soir. Sur trois cents personnalités présentes, trente lèvent la main : c'est plus que suffisant, évidemment. S'il y avait trois cents personnes dans un comité directeur, tout ce que cela voudrait dire, c'est qu'il resterait à créer un comité directeur.

Et voilà qu'en quelques mots Marlon Brando nous révèle soudain plus sur lui-même et sur les rapports de certains amis des Noirs avec eux-mêmes — je dis bien avec eux-mêmes, et pas avec les Noirs — qu'une étude de psychiatre. Il regarde la salle fixement, et les trente mains levées. Il balance un peu les épaules. Il joue. Je dis bien « il joue », car la violence que manifeste soudain sa voix et les torsions de muscles de son visage sont voulues, délibérément provoquées, et s'il reste là-dedans quelque sincérité, c'est celle d'un éternel enfant gâté :

— Ceux qui n'ont pas levé la main, foutez-moi le camp d'ici. *Get the hell out of here.*

Comme chaque fois lorsqu'un homme se conduit comme une petite frappe, j'ai le sentiment de perdre la face moi-même.

Je comprends bien que Marlon Brando entendait mimer ainsi l'attitude « dos au mur » des Panthères Noires.

Mais chez un millionnaire qui ne risque même pas un coup de pied au cul, cela ne faisait même pas « Panthère Blanche », cela faisait caniche de salon qui pisse sur le tapis.

Il y avait quelque chose de vraiment odieux dans ce *bullying*, cette provocation, cet air de *desperado*, cette singerie d'une autre hostilité, authentique celle-là, qui monte du sang noir répandu sur les trottoirs. Les trois cents acteurs, metteurs en scène, écrivains qui venaient d'indiquer par écrit le montant de l'aide matérielle qu'ils entendaient apporter aux organisateurs ne se sentaient aucune qualité pour faire partie du comité directeur, c'est-à-dire pour gérer les fonds.

— *Get the hell out of here...*

Oublions Marlon Brando et son numéro raté de Panthère Noire. Ce qu'il importe de dire, c'est qu'il y a parmi les Blancs des inadaptés psychologiques, des *misfits*, qui utilisent la tragédie et la revendication des Afro-Américains afin de transférer leur névrose personnelle hors du domaine psychique, sur un terrain social qui la légitime. Ceux qui cachent en eux une faille paranoïaque se servent ainsi des persécutés authentiques pour se retourner contre l' « ennemi ».

Des personnalités qui ont accédé parfois aux sommets de la réussite cachent fréquemment un obscur sentiment d'infériorité parce que rien ne leur suffit; les égomaniaques ne reçoivent jamais assez de marques extérieures de respect et d'adoration. Ceux qui se sentent individuellement aliénés échappent au diagnostic psychiatrique en s'identifiant à une communauté humaine en situation réelle, sociale, et non uniquement psychique, d'aliénation.

Les Noirs savent parfaitement qu'un certain nombre de Blancs les « aident » ou les poussent à l'extrémisme pour des raisons intimes, qui n'ont souvent rien à voir avec la tragédie raciale américaine. L'un d'eux m'a dit en souriant, en regardant s'éloigner une célèbre personnalité hollywoodienne : « Nous l'avons beaucoup aidé. »

Nous eûmes droit tout de même à quelques intermèdes comiques.

Les contributions financières que chacun désirait faire devaient être indiquées sur une feuille et cachées pudiquement sous l'enveloppe.

C'était oublier que nous étions dans la capitale du *show business*. Il y avait là un certain nombre de personnes qui ne pouvaient tout simplement accepter l'idée qu'elles allaient faire don de vingt mille dollars et que la salle n'en saurait rien. Je ne dirai pas le nom de la vedette qui a commencé, mais, après avoir remis l'enveloppe, le sympathique comédien se leva et lança :

— Je fais don de la totalité du salaire de mon prochain film.

Ce fut la ruée. D'un bout à l'autre de la salle, les chiffres étaient lancés, les applaudissements éclataient, les yeux se mouillaient, et même le pasteur Abernathy, qui s'était tout doucement assoupi sur l'estrade pendant les discours, se réveilla rayonnant.

Il y eut aussi cette magnifique phrase lancée par un metteur en scène, mari d'une vedette célèbre :

— Il ne suffit pas de donner de l'argent. Il faut que nous allions dans les familles noires, que nous apprenions à les connaître...

En 1968, mes amis. Oui, l'œuf de Christophe Colomb, monstrueux d'énormité, se dressait soudain triomphalement au milieu de la plus riche et la plus puissante société du monde. *Nous devons aller dans les familles noires, apprendre à les connaître...* Oui, je répète, en 1968. Je ne sais si on voit toutes les implications ahurissantes de cocasserie tragique de ce cri du cœur. Car ce n'était pas l'Amérique de papa qui se réveillait soudain : son auteur, c'était un metteur en scène de trente-sept ans. Il y a dix-sept millions de Noirs autour de lui. Il y a Watts, à vingt minutes d'auto. L'œuf de Christophe Colomb grandissait sous mes yeux comme dans une pièce de Ionesco. *Eurêka!* La nouvelle découverte de l'Amérique par les Américains. Ah, putain !

Autour de l'estrade, les Noirs présents, Belafonte, Young, le Révérend Jackson faisaient des efforts désespérés pour conserver leur sérieux. *Nous devons aller dans les familles noires, apprendre à les connaître...*

Il me semblait que le corps de Young était agité d'un léger tremblement et qu'il allait éclater de rire, avec l'œuf de Colomb, cet œuf dans lequel se cachait sans doute, j'en étais sûr, le rire noir, un des rires les plus noirs du monde.

Planaient sur tout cela le visage d'une extraordinaire beauté et le triste sourire à peine esquissé de Coretta Martin Luther King. Les occasions de se répéter sont rares parce que les certitudes sont rares. Je répéterai donc ici que de ma vie je n'ai connu de visage plus noble et plus beau.

XVII

Nous ramenons dans la voiture l'agent Lloyd Katzenelenbogen, son frère, le producteur Saint-Robert, et l'agent
Seymour Blitz, tous les trois dans un état de *mea culpa*
absolument effrayant. C'est tout juste s'ils ne se frappent
pas la poitrine et j'ai envie de recueillir dans le creux de
la main la cendre de mon cigare pour la leur offrir,
afin qu'ils puissent se la répandre sur la tête. Le signe
distinctif par excellence de l'intellectuel américain,
c'est la culpabilité. Se sentir personnellement coupable,
c'est témoigner d'un haut standing moral et social, montrer patte blanche, prouver que l'on fait partie de l'élite.
Avoir « mauvaise conscience », c'est démontrer que l'on
a une bonne conscience en parfait état de marche et,
pour commencer, une conscience tout court. Il va sans
dire que je ne parle pas ici de sincérité : je parle d'affec-
tation. Toute civilisation digne de ce nom se sentira
toujours coupable envers l'homme : c'est à cela que l'on
reconnaît une civilisation.

J'écoute mes trois passagers faire leur autocritique. C'est
Lloyd Katzenelenbogen qui s'élève le plus haut dans la
tolérance et la compréhension : il est l'agent de quelques-
uns des meilleurs écrivains et auteurs dramatiques du
moment.

— Toute libération psychique suppose un défoulement verbal complet. Le « respect » des Blancs que l'on a imposé aux Noirs ne peut se purger que par un excès symétrique. C'est la « désacralisation ». Lorsqu'un LeRoi Jones nous abreuve d'injures, lorsque les musulmans noirs se disent entre eux qu'il faut châtrer tous les Blancs, lorsqu'un Cleaver se vante d'avoir violé une Blanche, c'est certainement pénible, mais cela ne fait que refléter l'horreur du crime que *nous* avons commis pendant des siècles, depuis le début de l'esclavage. Derrière chaque Noir qui brûle, viole ou assassine, il y a le crime des Blancs, *notre* crime. *Nous* les entassions dans des bateaux infâmes, *nous* les enchaînions à fond de cale dans l'ordure, sans air, si bien que cinquante pour cent de la « cargaison » crevait souvent en route...

Seymour Blitz intervient :

— Nous n'avons pas plus le droit d'oublier ce que *nos* ancêtres ont fait aux Noirs que les Allemands n'ont le droit d'oublier les crimes d'Hitler... *Nous* avons commis un crime contre l'humanité qui fait paraître les excès de certains Noirs d'aujourd'hui bien timides... *Nous*...

Je suis pris d'un fou rire. Je ne peux plus m'arrêter, c'est vraiment une des choses les plus tordantes que j'aie jamais entendues dans ma vie, et pourtant, dans ma vie, je me suis beaucoup tordu.

— *What the hell is the matter with you?* Qu'est-ce qui vous prend? glapit Blitz, le cigare de travers entre les dents.

— Je vais vous dire ce qui me prend...

J'essuie mes larmes.

— Je vais vous le dire. Vous êtes tous les trois juifs d'Europe de l'Est, et même si l'un de vous est arrivé à temps pour naître aux États-Unis, vos pères et grands-pères pourrissaient encore dans les ghettos entre deux pogroms, alors que l'esclavage n'existait déjà plus aux États-Unis. Seulement, quand vous dites « *nous autres*, esclavagistes américains », ça vous fait jouir, parce que ça vous donne l'impression d'être des Américains à part entière. Vous vous donnez l'illusion que vos ancêtres étaient esclavagistes — alors qu'on en tuait mille, bon an mal an, selon l'humeur des cosaques, des *atamans* et des ministres du tsar —, car cela vous fait sentir à quel point vous êtes assimilés. Je ne dis pas que les Noirs, vous vous en foutez...

— Merci! gueula Katzenelenbogen.

— ...mais cela vous permet de ne plus vous sentir minoritaires vous-mêmes, cela vous aide un peu à fermer un œil sur votre propre sentiment d'aliénation. Si vos grands-pères étaient des « esclavagistes », vous voilà américains cent pour cent. Vous me faites mal au ventre avec votre culpabilité. En 1963, j'étais chez mon avocat israélite à New York au moment où la télé annonçait la mort du pape Jean XXIII. Il n'y avait là que des Juifs et ils pleuraient tous comme des veaux, c'était à croire qu'on venait de crucifier leur Seigneur Jésus-Christ...

« Il est soûl », affirma solennellement Saint-Robert, et c'était un peu vrai, bien que je ne touche jamais ni à l'alcool, ni à la marijuana, ni au L.S.D., parce que je suis trop acoquiné avec moi-même pour pouvoir tolérer de me séparer d'une aussi agréable compagnie par le truchement de la boisson ou de la drogue. Mais je me soûle d'indignation. C'est ainsi d'ailleurs que l'on devient écrivain.

L'atmosphère est devenue tellement froide que nous décidons d'aller dîner au *Bistrot*, pour nous refaire une amitié. La conversation dans ce haut lieu hollywoodien se maintient d'abord au niveau le plus élevé et ne descend jamais au-dessous de quatre cent mille dollars contre dix pour cent de *gross*, c'est-à-dire de recette brute. Après quoi, Saint-Robert, qui est, comme son nom l'indique, juif, commence à fulminer contre les nouvelles manifestations antisémites à Harlem. Depuis que l'avant-garde noire attaque les Juifs, non pas en tant que Blancs mais en tant que Juifs, certains de ces derniers commencent à devenir racistes à leur tour. C'est ce fameux *backlash*, le choc en retour. De quoi pleurer, comme disait ma mère, qui ne pleurait jamais.

A mon dernier voyage, j'avais rencontré chez Lloyd Katzenelenbogen, justement, mon premier antisémite nègre. C'était très beau. Mon ami Lloyd est un libéral à toute épreuve. Il comprend tout. Comprendre, c'est pardonner. Le dialogue, de mémoire — je dus sortir à deux reprises pour me reprendre en main — donnait à peu près ceci :

Le militant

Vous autres, Juifs, vous avez mis la main sur le ghetto. Tous les immeubles, tous les magasins sont à vous. Les prêteurs à gages, c'est vous. Vous nous vendez vos saloperies de marchandises vingt pour cent plus cher que dans les quartiers blancs. Nous allons vous couper les oreilles.

Katzenelenbogen

Prenez encore un peu de poulet.

Le militant (Il se sert)

Merci. Vous nous saignez à blanc.

Moi (en français)

Ton mec commence à me sortir par les trous de nez.

Katzenelenbogen (en français)

Tu ne peux pas comprendre. Nous les avons opprimés pendant deux siècles. Ils ont besoin de s'affirmer. Ta gueule.

Le militant

Ce que je dis ici n'est pas personnel, bien sûr, je suis capable de faire les distinctions nécessaires. Je sais que vous, Lloyd, vous n'y êtes pour rien.

Moi

C'est ça, vous Lloyd, vous êtes un *bon* Juif.

Le militant

Prenez les *soul stations*, ces fameuses stations-radio pour les Noirs... Presque toutes appartiennent à des Juifs.

Moi

Vous êtes antisémite?

Le militant

Vous n'êtes pas américain, vous ne pouvez pas comprendre.

Moi

Parce que vous, finalement, vous vous sentez bien américain?

Katzenelenbogen

Dis donc, tu deviens raciste?

Moi

D'ailleurs, je trouve l'idée d'un Noir antisémite très séduisante. Je suis heureux de constater que les Noirs ont besoin des Juifs comme tout le monde.

Cet antisémitisme est dû en partie à la comédie d'arabisme et d'islamisme que se jouent les extrémistes noirs à la recherche d'un *ailleurs* spirituel. Quatre-vingt-dix-neuf virgule neuf pour cent ignorent totalement que les conquérants arabes furent les massacreurs acharnés de leurs ancêtres, les destructeurs de la tradition et de la vraie religion africaine, qui était animiste. Ils ignorent qu'ils convertissaient les nègres à l'Islam par la puissance de l'épée du même nom, en même temps qu'ils transformaient les moins costauds en eunuques et vendaient leur marchandise humaine aux négriers portugais, anglais ou américains...

Il serait inique et indigne d'en vouloir aux Arabes d'aujourd'hui et de leur faire grief des crimes de leurs ancêtres, lesquels n'étaient pas des crimes à l'époque. Rien de plus aberrant que de vouloir juger les siècles passés avec les yeux d'aujourd'hui. Mais de là à voir dans l'Islam l'incarnation de l'âme africaine, il y a tout de même quelques petites années-lumière à franchir, et lorsque Malcolm X écrit, à propos des Blancs : « Comment pourrais-je aimer l'homme qui a violé ma mère, tué mon père, réduit mes ancêtres en esclavage ? », c'est pourtant exactement cela qu'il fait, lorsqu'il se jette dans les bras du Prophète...

— Et votre chien ? me demande Saint-Robert.

— Quoi, mon chien ?

— Toujours aussi raciste ?

Je me tais. Les autres ne sont pas au courant. L'agent leur raconte l'histoire, sur le mode compatissant, comme s'il parlait d'un membre de ma famille faisant partie d'une organisation de S.S. Je baisse le nez, en mangeant pour cinq, comme toujours lorsque je suis déprimé. La nourriture est mon unique euphorisant. Je ne bois jamais, surtout depuis qu'ayant bu un whisky au mess de mon escadrille, pendant la guerre, je ratai mon objectif en Allemagne.

Katzenelenbogen ne disait rien. Mais il paraissait intéressé.

Il me téléphone le lendemain.

— Est-ce que je peux venir vous voir ?

Il n'est pas mon agent, ni celui de Jean, mais il essaie.

— Venez, lui dis-je. Qu'est-ce que j'ai à perdre ?

Il était là vingt minutes plus tard, dans sa Thunderbird décapotable. Je le fis asseoir. Il accepta un *bloody Mary*.

— Je viens vous voir à propos de votre chien, me dit-il. J'ai réfléchi cette nuit et j'en ai parlé à ma femme. Je crois que nous pourrions vous aider.

— Tiens ? Comment cela ?

— Le chien ne peut pas passer le reste de sa vie dans

une cage et vous ne pouvez pas vous en occuper vous-même, vous voyagez trop.

Je commençai à flairer ce qui allait venir. Si j'avais été un chien à part entière, mon poil se serait hérissé.

Lloyd hésitait un peu. C'est un homme extrêmement bien habillé. Blazer bleu, boutons dorés, linge surfin...

— Je voulais simplement vous proposer de prendre votre chien chez moi. Ma femme et moi vivons seuls à Bel Air, dans une maison assez isolée et...

Il avait un air tellement sincère, il manifestait une si évidente bonne volonté et il s'occupait de tant de bons écrivains que, sans cette espèce de radar que j'ai dans les tripes et qui se met à fonctionner immédiatement en présence d'un enfant de pute, il m'aurait peut-être enveloppé.

Une forte proportion de crimes dans les villes ont pour auteurs des Noirs et, depuis Watts, les gens les « mieux intentionnés » à leur égard prennent des précautions.

Avec un chien comme Batka, tout Noir qui s'approcherait de la maison entendrait monter vers lui une voix qui l'atteindrait directement dans son atavisme, cet atavisme qui explique pourquoi l'on trouve très peu de chiens dans les familles noires. La chasse à l'esclave en fuite était un des grands sports des plantations.

Une légère nausée me soulève le cœur. Car l'homme qui est devant moi se proclame un « progressiste » fermement rangé aux côtés des militants...

Et il vient me demander Chien Blanc pour défendre son foyer...

— Désolé, mon vieux, dis-je. Mais j'ai déjà promis le toutou au maire Yorty.

Katzenelenbogen prend cet air légèrement ennuyé des gens qui viennent d'être piqués par une guêpe.

Je me lève.

— Mais si Batka fait des petits blancs, je vous promets de penser à vous...

Il fonce vers la porte de ce pas furieux qui, pour les natures pacifiques, tient lieu de violence verbale ou autre.

Je ne dormis guère, cette nuit-là.

Je pensais dans mes ténèbres que Don Quichotte était un réaliste implacable qui savait discerner, sous l'apparence de la banalité quotidienne et familière, des dragons hideux.

Et Sancho Pança était un illuminé romantique, un rêveur invétéré incapable de percevoir la réalité, ce genre d'aveugle qui avait cru pendant trente ans que Staline était un « père des peuples » sage et soucieux du bonheur humain et que les vingt millions de morts des « purges » étaient de la « propagande capitaliste ».

Don Quichotte *savait*. Avec une lucidité exemplaire, il voyait clairement les démons et les hydres génétiques dont le sale museau sort de notre fosse aux serpents intérieure à la moindre occasion.

J'allume ma lampe, je prends l'autobiographie de Cleaver et je tombe immédiatement sur cette citation de LeRoi Jones : « *Come up, black dada, nihilismus. Rape the white girls. Rape their fathers. Cut the mother's throat.* » « Debout, dada noir, nihilisme. Viole les filles blanches. Viole leurs pères. Coupe la gorge à la mère. »

Merde.

Je me lève.

Mes pensées errent sans but dans ma tête comme moi-même au volant de mon Olds dans cette ville vague. Je roule jusqu'à Malibu pour écouter mon frère l'Océan. Mais il se tait.

Il dort.

Je vais au ranch et j'entre dans la cage de Pete l'Étrangleur, qui se déroule aimablement, puis se met aussitôt en équerre.

Nous nous regardons.

Ce python, quand il contemple ainsi fixement un homme de ses yeux ronds, on dirait qu'il n'a encore jamais rien vu de pareil.

Nous nous observons ainsi un long moment, communiant une fois de plus dans une absence de compréhension, une stupéfaction sans limites. Nous échangeons nos impressions, en quelque sorte. Cela se résume en un seul mot : monstrueux...

Je vais ensuite dans la cage de Batka, où je reçois cet accueil chaleureux qui réjouit l'enfant de huit ans que je cache encore en moi. Chien Blanc met la tête sur mes genoux et, pendant que je mange les concombres à la russe avec du pain noir que j'ai achetés au Hugh's Market, il reste ainsi en adoration, ses yeux dans les miens. Le seul endroit au monde où l'on peut rencontrer un homme digne de ce nom, c'est le regard d'un chien.

Keys nous trouve ainsi en pleine fraternité.

— Ça va ?

— Ça va.

Il entre dans la cage, nourrit la bête. Batka fait la putain, tortille du derrière, lui lèche les mains.

Keys me jette un petit coup d'œil.

— Eh ben, fais-je, en guise de compliment.

— Oui, dit-il. Il fait des progrès rapides. *He is coming along fine, just fine...*

Il se redresse, allume une cigarette, en me regardant bizarrement.

... Le salaud. Je ne lui pardonnerai jamais.

XVIII

Je rentre à Arden où je trouve un message de Nicole Salinger. Bobby Kennedy a interrompu pour un ou deux jours sa campagne électorale contre McCarthy et nous invite à venir le voir à Malibu chez le metteur en scène Frankenheimer. J'avais connu son frère lorsqu'il était sénateur et l'avais revu à la Maison-Blanche, mais je n'avais jamais rencontré Bobby. Je savais qu'il pouvait compter déjà sur le vote de quatre-vingts pour cent des Noirs en Californie, mais la Seberg se mit aussitôt en ébullition : et si on pouvait organiser une rencontre entre Bobby, un modéré comme Brooker et un activiste comme Red ? Elle ramasse ses prospectus, prévient Brooker. Je téléphone à Red, qui refuse d'abord, puis décide de venir et arrive le soir même.

Je le trouve nerveux, préoccupé, *insecure* comme on dit ici. Depuis l'assassinat de King, les choses se sont envenimées au point que tout chef activiste qui accepte de parler à un politicien de l'*establishment* se demande s'il n'est pas coupable de trahison, de « collaboration ». Je ne l'avais encore jamais vu ainsi, les lunettes au front, une pile de papiers sur les genoux... Il passe la moitié de la nuit à fulminer contre les Kennedy « qui n'ont rien fait » et me lance ces mots que j'avais trouvés à l'époque ahurissants, mais qui ne m'étonnent plus du tout aujourd'hui, depuis la publication des ouvrages extrêmement bien documentés sur l'extraordinaire puissance financière et politique de la Mafia dont les revenus annuels sont estimés aujourd'hui à quelque chose comme quarante *milliards* de dollars :

— Les Noirs se sont laissé mettre complètement à l'écart par le complexe crime-syndicat. Les syndicats nous privent systématiquement de travail et nous n'avons pas la puissance financière nécessaire pour exercer les pressions utiles. La Mafia joue la carte antinoire parce que cela la situe parmi les bien-pensants et exploite les sentiments racistes des travailleurs « cols bleus ». Les minorités italienne, irlandaise, juive, se sont libérées politiquement en organisant des groupes de pression. Nous sommes restés à l'écart du crime organisé, comme des sous-développés... La situation des Noirs commencera vraiment à changer lorsque la Mafia nous cédera ses positions, et il faut pour cela frapper au sommet, où il n'y a que des vieux...

Je me dis : c'est du délire. Mais il suffit de lire les dernières révélations sur la puissance politique de la *Cosa Nostra* pour comprendre que Red était simplement bien renseigné.

Vers deux heures du matin, il reconnaît pourtant :

— Bobby est le seul libéral dont nous puissions attendre quelque chose. McCarthy ne sait rien des Noirs, c'est pour lui un problème théorique...

Il me jette en français :

— C'est trop « populo » pour lui.

Je demande :

— Des nouvelles de Philip ?

Un sourire de fierté...

— Officier. Deux fois décoré...

On dirait un Américain « bon teint » fier de son fils qui s'est couvert de gloire au champ d'honneur...

Il se ressaisit aussitôt :

— Il va rentrer dans quelques mois. Avant que la guerre finisse, nous aurons cinquante mille G.I's noirs, parfaitement entraînés, encadrés et surtout disciplinés... Car c'est la discipline surtout qui nous manque. Trop de coups de tête individuels et pas d'action cohérente bien organisée...

— L'explosion?

— Pas nécessairement. Nous les utiliserons d'abord comme force politique. Marginalement, aussi, pour occuper les citadelles de la Mafia et les bastions syndicaux... Si la lutte politique échoue, alors seulement...

— Tu vas le dire à Bobby?

— Clairement.

Je n'en peux plus. Comment peut-il ignorer que son fils aîné est un héros *américain* authentique, qu'il entend faire carrière dans l'armée, qu'il a trouvé là-bas une « fraternité » qui ignore la couleur de la peau, celle des hommes en guerre? Se joue-t-il la comédie à lui-même? Et en quoi le retour des G.I's noirs du Viêt-nam peut-il changer l'équilibre des forces en Amérique? S'ils sont cinquante mille « vétérans » — le chiffre est purement théorique et ne tient aucun compte des décisions individuelles —, ils auront en face deux cent cinquante mille « vétérans » blancs...

Je l'observe avec une sorte d'incrédulité consternée. Je cherche dans son regard le signe du rêve. Cet homme profondément pratique, pragmatique, au sens le plus traditionnel et américain du mot, est en pleine irréalité, en plein imaginaire, dévoré par un mythe impossible, par un goût du merveilleux qui semble soudain renouer avec les plus vieilles légendes africaines. Son visage est ce masque calme dont se pare souvent la déraison ou la folie. Qui donc, jadis, a lancé le terme « délire logique » ? J'hésite un peu. Et puis, tant pis. Je fais parler la *réalité*. Je dis :

— Tu sais que Ballard veut rentrer aux États-Unis. Ça lui manque. Il ne peut pas se faire à l'Europe. Trop américain...

Il ferme son visage complètement. A double tour. Audehors, il ne reste que l'apparence d'un détachement complet. Il hausse les épaules.

— C'est un instable. Un hippy. Nous n'avons pas besoin de cloches comme lui. Rester en France, c'est ce qu'il a de mieux à faire.

Il doit se ronger à l'idée que, si Ballard rentre aux États-Unis, il sera jugé comme déserteur.

Il ajoute, sourdement, sans me regarder :

— Dis-le-lui. Qu'il reste là-bas...

— Entendu.

Je me rends avec Jean à Malibu le lendemain matin. Bobby est dans l'Océan, je vois sa chevelure flotter au-dessus de l'écume, les vagues sont fortes, il a l'air d'aimer ça.

Il entre quelques minutes plus tard dans le salon, vêtu d'un bermuda multicolore, s'accroupit par terre, le torse nu.

Jean le prend par le bras, sort ses papiers et rit.

— Hey, je suis ici en vacances...

Il écoute tout de même attentivement, promet de recevoir Brooker et Red.

Puis il revient s'accroupir entre Nicole Salinger et moi. Quelques jours auparavant, l'ancien chef du parti démocrate en Californie, l'avocat Paul Ziffrin, m'avait prié d'exposer par écrit mes observations sur le « problème », tel qu'il apparaissait, en quelque sorte, vu de l'extérieur, aux yeux d'un étranger. J'avais indiqué à quel point était surprenante et inattendue l'idée d'un « Israël noir », l'État de New Republic of Africa tel que le réclamait le « pouvoir noir ».

Bobby aborde immédiatement la question :

— Impensable, délirant. Il faudrait pour en venir là un cataclysme nucléaire monstrueux, cent millions de morts, une anarchie totale de plusieurs années comme le Moyen Age en Europe, où n'importe quelle aberration... Un tel défaitisme intellectuel relève d'une capitulation sans conditions de l'idéal démocratique américain...

Il était assis les jambes croisées sur la moquette, un verre de jus d'orange à la main. Quelque chose dans son corps garde encore la trace des grosses pattes de jeune chien. Je me dis que ce visage, ces mèches touffues, ces traits fins et charnus, rejoindront en vieillissant et en se creusant la lignée physique des visages si typiquement américains de Cordell Hull ou de Wilson, le patron de la General Motors, devenu conseiller de Truman.

Quinze jours plus tôt, j'avais dit à Pierre Salinger devant les Ziffrin :

— Tu sais, naturellement, que ton gars se fera assassiner?

Salinger avait frémi. Il demeura un moment silencieux, puis me dit :

— Je vis avec cette crainte. Nous faisons tout ce que nous pouvons pour le protéger. Mais il court partout, comme du mercure vif...

Mickey Ziffrin m'avait demandé :

— Pourquoi croyez-vous à un attentat?

— Folklore américain. Esprit d'émulation. Le goût de la compétition et de la surenchère. Depuis l'assassinat de John, Bobby représente une tentation irrésistible pour le paranoïaque américain moyen. La contagion psychique du qui-dit-mieux. Et il y a autre chose. Bobby est une provocation pour tout déséquilibré persécuté, torturé par son inexistence... *Bobby is too much.* Il est *trop.* Trop jeune, trop riche, trop séduisant, trop heureux, trop puissant, trop de possibilités. Il éveille en tout paranoïaque un sentiment d'injustice. Il agit comme une vitrine de luxe sur un pauvre amoindri de Harlem, comme l'exhibition de la richesse américaine aux yeux du tiers monde. Il est *trop.*

Il est facile de se targuer d'avoir « prévu » cela. Je le raconte ici parce qu'il s'agit d'un élément important dans l'analyse spectrale de l'Amérique d'aujourd'hui. Ce pays, étant à l'avant-garde de tout ce qui est démesuré, est aussi à l'avant-garde de la névrose. Dans cette immense machine technologique de distribution de vie, chaque être se sent de plus en plus comme un jeton inséré dans la fente, manipulé par des circuits préétablis et éjecté à l'autre bout sous forme de retraité et de cadavre. Pour sortir de l'inexistence, ou bien, comme les hippies ou les sectes innombrables, on se regroupe en tribus, ou bien on cherche à s'affirmer avec éclat par le *happening* meurtrier, pour se « venger ». Je sentais peser sur Bobby la menace de la paranoïa américaine, plus dangereuse ici qu'ailleurs, dans ce pays où le culte du succès, de la réussite, accentue les complexes d'infériorité, de persécution, de frustration et d'échec.

Je demande à Bobby quelles précautions il prend contre un attentat éventuel. Il sourit.

— Il n'y a aucun moyen de protéger un candidat pendant la campagne électorale. Il faut se donner à la foule et, à partir de là... il faut compter sur la chance.

Il rit, secouant la mèche juvénile qui lui retombe sans cesse sur le front.

— De toute façon, il faut avoir la chance avec soi pour être élu président des États-Unis. On l'a ou on ne l'a pas. Je sais qu'il y aura un attentat tôt ou tard. Pas tellement pour des raisons politiques : par dérèglement. Nous vivons à une époque d'extraordinaire contagion psychique. Parce qu'un type tue Martin Luther King ici, un « contaminé » à Berlin va immédiatement tenter de tuer un leader des étudiants allemands. Il faudrait faire une étude profonde de la traumatisation des individus par les *mass media* qui vivent de climats dramatiques qu'ils intensifient et exploitent, faisant naître un besoin permanent d'événements spectaculaires. Rien encore n'a été fait dans ce domaine. Et il faut bien dire que le vide spirituel est tel, à l'Est comme à l'Ouest, que l'événement dramatique, le *happening*, est devenu un véritable besoin. Et, d'un *happening* à l'autre, il y a la réaction en chaîne... Il y a aussi la congestion démographique, surtout dans les villes : les jeunes se mettent à éclater littéralement. Les individus — nous voyons ça dans nos ghettos noirs — sont à ce point comprimés ou opprimés qu'ils ne peuvent plus se libérer que par l'explosion. Vous savez, j'en viens même à me demander si une sorte de besoin de création ne finit pas par pousser à la violence ceux des jeunes qui n'ont pas de talent artistique ou d'autres moyens de s'exprimer... Et puis il y a eu Hemingway. J'aime beaucoup Hemingway comme écrivain, mais il faut bien dire qu'il a été le créateur d'un mythe ridicule et dangereux : celui

de l'arme à feu et de la beauté virile de l'acte de tuer...
Il a été absolument impossible d'obtenir du Congrès une
loi interdisant la vente libre des armes à feu.

Nous parlons des étudiants, qui mettent en ce moment
l'université en état de siège. Sa première réaction, typique
du politicien avant tout, est faite de chiffres : il m'explique
que les « groupes d'âges » aux élections de 1972 ne lais-
seront aucun caractère décisif au vote des militants d'aujourd'hui. Il dit avec un petit sourire un peu gêné, comme
pour s'excuser de faire du « réalisme électoral » : « Je ne
peux cependant pas m'empêcher de me sentir un peu
réticent à l'égard des étudiants. » Est-ce parce qu'ils sont,
dans une forte proportion, pour son rival McCarthy ? Il
l'avoue aussitôt, presque brutalement :

— Je laisse volontiers certains milieux de l'université à
McCarthy. Des événements comme ceux qui se déroulent
en ce moment à l'université de Columbia m'interdisent de
m'appuyer, sans aucune discrimination, sur tout ce qui
est simplement « jeune ». Je suis pour toutes les formes de
la critique et de la contestation réfléchie, mais à l'université de Columbia, comme l'année dernière à Berkeley,
on assiste à un phénomène de transfert : on démolit le
campus parce qu'on se sent impuissant à obtenir l'arrêt
de la guerre au Viêt-nam... ou la libération de Siniavski
en U.R.S.S.

Le général de Gaulle n'était pas encore rentré de Rou-
manie, et Kennedy m'interrogea avec inquiétude sur la
situation en France qui semblait s'aggraver de jour en
jour. Le général de Gaulle la laissait-il délibérément *get
out of hand* — devenir incontrôlable — afin de surprendre
ensuite l'adversaire devenu imprudent, parce que trop sûr
de lui ? Je lui répondis que je n'en savais rien, mais que

la France me paraissait en proie à un besoin de défi à la puissance sous toutes ses formes, peut-être tout simplement parce que les manifestations de puissance dans le monde, manifestations militaires, politiques, nucléaires, économiques, communistes, capitalistes, étaient devenues un véritable *tease*, une insupportable provocation.

— En tout cas, de Gaulle est le dernier, dit Kennedy. Il n'y en aura jamais plus d'autre comme lui. Croyez-vous que la façon dont nous l'avons traité pendant la guerre influence sa politique actuelle à l'égard du monde anglo-saxon ?

Je lui répondis que c'était probable, mais pas dans le sens de quelque hostilité revancharde : Roosevelt et Churchill avaient simplement donné à de Gaulle une leçon de puissance qu'il n'avait jamais oubliée. Il avait pu constater que le mot France n'éveillait aucun écho magique aux oreilles de ses partenaires, lorsqu'il s'agissait d'un pays en morceaux.

Je le sens obsédé par de Gaulle, comme l'était son frère, qui ne cessait de m'interroger sur le vieux, à la Maison-Blanche, révélant une véritable fascination.

— A combien d'attentats, au juste, a-t-il échappé ?

— Cinq ou six, je crois.

— Je vous le disais bien : la chance. On ne peut être président sans *the good old luck*...

C'est fini. Il y a là ses deux conseillers directs, Dick Goodwin et Pierre Salinger, l'épouse de ce dernier, Nicole, l'actrice Angie Dickenson et son mari, l'auteur dramatique Alan Jay Lerner et sa femme, l'acteur Warren Beatty, le metteur en scène John Frankenheimer et sa femme, le cosmonaute Glenn ainsi que trois ou quatre personnes de l'état-major électoral de Bobby Kennedy dont je ne connais pas les noms.

Avant notre départ, il promet à Jean de parler le jour même avec Brooker et Red.

Il tient sa promesse.

Le soir, Red me téléphone de l'aéroport.

Je demande, un peu anxieux :

— Ça a marché?

Je sens que Red essaie de cacher son enthousiasme, *to play it cool* :

— Je me méfie de tous les candidats à la présidence. Ils promettent n'importe quoi. Ceci dit, c'est le seul. Il n'y en a pas d'autre...

Il se rattrape aussitôt :

— Mais ça ne veut pas dire un mot de plus que ce que je dis : il n'y en a pas d'autre. C'est tout. On le jugera aux actes.

XIX

Un ami bien placé me prévient que notre téléphone est écouté et qu'il y a sûrement des micros dans la maison. Et pourquoi pas? Qu'ils fassent leur métier.

Tout ce qui se dit à Arden n'ajoute rien à ce que publient les journaux. Mais ça discute sans fin, comme toujours lorsque les possibilités d'agir manquent.

Je suis saturé de négritude américaine. Heureusement, ça bouge en France, et c'est pour moi comme une bouffée d'air frais. Rien de tel pour vous changer les idées. La télévision n'arrête pas. Prise de la Sorbonne, des milliers d'étudiants sur les barricades, menaces de grève générale. Je respire un peu. Je me retranche dans mon studio et regarde la télé, cependant que dans le salon se tient une réunion du « pouvoir vert » : entendez par là le dollar. Il s'agit d'une organisation nouvelle qui se donne pour but de jeter les bases d'un nouveau capitalisme noir avec des banques noires, des industries noires, un commerce noir, tout noir. La vraie révolution capitaliste. Lorsque j'entre dans le salon où je trouve Jean en train de signer un chèque, je tombe sur un gars vêtu d'une sorte de toge violette avec une ceinture qui a un masque à la place de la boucle, une croix de paix sur la poitrine, une calotte de rabbin sur le crâne et un anneau d'or dans le lobe de l'oreille droite, en train de faire un discours tellement admirable que je me précipite dans mon studio, jette un regard sur les C.R.S. français en tenue de chevaliers-de-la-table-ronde-goûtons-voir-si-le-vin-est-bon, casques, matraques et boucliers, il ne manque que Joinville, Saint Louis et Godefroy de Bouillon. Je saisis une feuille de papier et un crayon, et me rapproche de la porte pour ne pas perdre la moindre de ces perles qui tombent de la bouche de Saïd Mektoub, que trois mois auparavant je connaissais encore sous le nom de Peter Stewart :

— ... Et ne venez pas parler aux Noirs américains de communisme, parce qu'il ne peut plus être question pour nous d'être intégrés dans quoi que ce soit, ni dans le prolétariat ni dans rien. Nous n'avons aucune intention de renverser le capitalisme américain, bien au contraire. Nous voulons nous faire *rembourser*. Nous avons des siècles de spoliation, d'exploitation, de travail et de sueur à nous faire rembourser, avec onze pour cent d'intérêt, et nous n'avons aucune intention de partager cela avec le prolétariat blanc. Nous avons bâti de nos mains une partie de ce pays, et maintenant nous voulons nous faire payer. Les Blancs sont parfaitement foutus de devenir communistes pour éviter de nous rembourser...

Peter Stewart Saïd Mektoub continue, le lobe de son oreille est encore légèrement gonflé, il avait eu une méchante infection quand il se l'était percé lui-même. Moi aussi, j'ai toujours voulu porter un anneau d'or dans le lobe de mon oreille droite, mais je n'ai jamais pu trouver d'excuse. Peut-être, si j'invoquais mes ancêtres mongols du côté paternel... Oui, mais ma mère était juive. C'est un dilemme absolument insoluble. Par-dessus le marché, mes ancêtres tartares paternels étaient des pogromeurs, et mes ancêtres juifs maternels étaient des pogromés. J'ai un problème. Et si je ne donne pas une excuse valable pour la boucle d'oreille, on dira que je suis exhibitionniste. Je pense soudain au célèbre confusionnisme français : mon père est maire de Mamers et mon frère est masseur. Lorsque j'étais en Israël, au cours d'une conférence de presse, radiodiffusée, devant une salle pleine un vénérable journaliste juif de *Maariv* qui ressemblait à Ben Gourion mais en beaucoup plus vieux m'a demandé : « Monsieur Romain Gary, est-ce que vous êtes circoncis? » C'était la première fois que la presse s'intéressait à ma verge, et encore radiodiffusée! Je n'osais pas dire non, je ne voulais pas renier ma mère, je n'allais tout de même pas cracher sur sa tombe. J'ai dit oui, il y a eu une sorte de soupir de soulagement dans la salle, radiodiffusé lui aussi, et puis·j'ai senti de drôles de picotements, c'était la vérité qui protestait. J'ai ajouté immédiatement : mon fils est circoncis.

Ainsi donc, vous allez l'élever en juif? Moi, je suis pour l'honnêteté avant tout, surtout radiodiffusée. Je dis donc au *Maariv*, non monsieur, mon fils est d'arrière-grand-père mongol, de mère américaine de souche suédoise, de grand-mère juive, sa langue maternelle est l'espagnol, c'est déjà, à l'âge de six ans, un excellent Français, sa gouvernante a décidé de l'élever dans la religion catholique, mais, quand il a eu trois ans, il a eu une petite inflammation du prépuce, et le docteur Buttervasser, 32, boulevard Rochechouart, je vous le recommande, cher monsieur, c'est un excellent pédiatre, a décidé de procéder à l'ablation du prépuce pour des raisons chirurgicales et sans aucun engagement de ma part. Le tout radiodiffusé.

Racismes!

Mais je n'ai pas perdu un seul mot de ce que disait Peter Stewart Saïd Mektoub, qui est avocat de son métier :

— Le communisme est notre ennemi, parce qu'il se réclame de la société sans classes, de l'universalité, de la justice universelle, en sautant ainsi l'étape de la propriété noire, du possédant noir, de la justice noire...

Ouf!

Ma femme, dans un coin, avec deux autres entogés, est en train de se pencher sur son chéquier. Et moi, alors? Quand je pense que j'ai justement envie d'une Maserati grand sport et de douze cravates en vison...

Je reviens à la télé. Les pavés sont en train de voler. Les C.R.S. répliquent par des grenades lacrymogènes, ce qui, avec leurs tenues de chevaliers désarçonnés, fait curieusement anachronique. Je m'installe dans mon fauteuil, et j'allume un cigare. C'est merveilleux d'être ainsi confortablement installé chez soi et de se faire servir le monde entier sur un plateau.

J'ai un peu honte de ma lâcheté lorsque j'annonce cette nuit-là à Jean mon intention de prendre la fuite le lendemain.

Elle paraît désemparée. Laisser tomber dix-sept millions de Noirs américains pour une petite virée dans le Paris du mois de mai, voilà un acte dont mon prestige ne sort pas intact. J'épingle tout de même ma croix de la Libération et ma rosette d'officier de la Légion d'honneur à titre militaire sur mon pyjama, mais elle sait très bien qu'elles sont vieilles de vingt-cinq ans : je suis un *has been*. Un *ex*. On n'a tout de même pas le droit d'évoquer la bataille d'Angleterre pour se débiner. Le problème est là, en Amérique. A Paris, après tout, ce sont des Blancs. Ce qui est exactement la remarque extraordinaire que m'avait faite quelques jours auparavant cette brave Clara, lorsque je lui avais dit que la femme d'un de mes amis parisiens l'avait quitté parce qu'il avait perdu sa situation :

— De quoi se plaint-il? Il est blanc, n'est-ce pas? Il n'a pas de vrai problème.

Bref, je déserte. Je ne veux plus assister à des réunions au cours desquelles on fait semblant de ne pas savoir qu'Abdul Hamid ici présent est un mouchard, que le nouveau groupement représenté ici par Bombadia, au crâne rasé, est probablement financé par le F.B.I. dans le but de semer la division dans le mouvement du « pouvoir noir»; des réunions où personne ne cherche à comprendre pourquoi tant de jeunes militants sont tués par leurs frères noirs, et sur ordre de qui. Bref, j'estime que ma conscience elle aussi a droit à des vacances, et Paris, avec son printemps, avec ses barricades qui fleurissent, la chevalerie C.R.S., voilà exactement ce qu'il me faut pour me changer les idées.

Je fais ma valise. Le matin du départ, je vais avec mon fils au chenil, et nous restons une heure avec Chien Blanc. Mon fils a six ans, et nous pouvons nous permettre de faire des projets ensemble. Nous décidons qu'après mon retour nous allons emmener Batka en France, pour le marier à une jeune fille française, et ils auront beaucoup de petits. Mon fils, qui a toujours eu de jeunes camarades noirs, ne sait pas que les Noirs existent. Jamais, pas une fois, il ne m'a demandé pourquoi ce monsieur, ou Jimmy, ou sa maman ont la peau noire. Mon fils n'a pas encore été dressé.

A la maison, il y a un billet sur la table : « Ne pars pas sans me dire au revoir, j'ai une réunion à Cranton, c'est sur le chemin de l'aéroport... » Je serre la patte à Sandy, mon chien jaune. Maï saute sur mon épaule, se frotte contre ma joue et me raconte une longue histoire extrêmement compliquée où il est question d'oiseaux, d'un autre chat extrêmement vulgaire et désagréable qui habite en face et d'une côte de veau volée sur la table de la cuisine, dont elle m'affirme n'avoir jamais entendu parler.

A Cranton, où je ne suis jamais venu, j'ai quelque peine à trouver la maison. Je demande l'adresse à un malabar barbu : ce pauvre Lumumba a fait au moins autant pour la barbe que pour le Congo... L'adresse que je donne produit le meilleur effet :

— Vous allez chez Charley?

— Je vais chez Charley.

La troisième rue à gauche, cinquième maison, côté droit. Il y a devant la maison deux Noirs à qui j'explique que je suis le mari, mais j'ajoute pour les rassurer que c'est ma femme elle-même qui m'a prié de venir.

On me fait entrer.

Je constate du premier coup d'œil que ce n'est pas du tout une réunion du genre « pouvoir vert ». C'est au contraire le genre de *party* où il y a à chaque fenêtre un type qui regarde attentivement au-dehors. Le seul gars que je connaisse là-dedans est un membre des *black deacons* [1] et il fait figure ici de modéré. L'atmosphère générale est celle des maquisards sous l'Occupation, avec béret et barbe cubaine, plus un je ne sais quoi de nazi dans le cuir. Castro avait presque réussi son coup avec les Noirs américains, jusqu'au jour où ces derniers ont fini tout de même par s'apercevoir qu'aucun des chefs militaires de Fidel,

1. *Black deacons* : groupe d'autodéfense des Noirs du Sud.

aucun de ses ministres, aucun de ses copains ou copines, n'avait la peau noire...

Qu'est-ce qu'il y a, *barbudo*? Il n'y a plus de Noirs à Cuba?

C'est fou ce que Jean paraît blonde, sur ce fond. Elle est en train de parler. Sa voix tremble...

— La pire des publicités pour les droits civiques, c'est lorsqu'on voit des vedettes de cinéma essayer de vous aider. Ça fait Hollywood. Ça fait cinéma. Ça fait « mode ». Une vedette, on sait ce que c'est, n'est-ce pas? Rien que des poses. Quoi qu'on fasse, quelle que soit votre sincérité, vous avez l'air de poser pour une photo, de dire « *cheese...* ». J'ai fait ce que j'ai pu pour l'école, mais, chaque fois que vous me demandez de mettre mon nom sur un manifeste, vous vous faites du tort...

J'ai l'impression d'être devenu invisible. J'aurais dû mettre mon fez rouge et mon pantalon bouffant à la turque, bleu ciel avec dorures.

— N'oubliez pas que nous sommes à deux pas d'Hollywood, c'est-à-dire de l'endroit où on va tourner un *Che Guevara* avec Omar Shariff dans le rôle principal... Bref, quoi que je fasse, j'aurai toujours l'air de *jouer*...

Sa voix se casse. Les deux mecs aux fenêtres regardent au-dehors attentivement. Vous croyez peut-être qu'ils ont peur d'une descente de police? Vous me faites rigoler. La police n'a pas à se déranger. Elle est déjà à l'intérieur. Il n'existe pas de mouvement politique quelconque qui ne soit entièrement noyauté par le F.B.I. Et quel est le meilleur moyen de contrôler un mouvement politique? *C'est de le créer.*

Les guetteurs sont là pour parer au passage rapide d'une voiture armée de quelque groupement noir rival.

Le côté le plus tragique de l'activisme, ce sont les tueries *intérieures*. Tout se passe comme si une puissance occulte manipulait les mouvements extrémistes de façon à les dresser les uns contre les autres. Deux étudiants viennent d'être abattus ainsi à l'université de Californie.

J'embrasse Jean. Je me sens comme une épouse éplorée dont le mari part pour les croisades. Mais il vaut mieux pour Jean que je ne sois pas là. La différence d'âge, c'est terrible, lorsque vous avez épousé une jeune femme qui a quelques siècles de moins que vous. Sans compter que j'ai Voltaire et La Rochefoucauld sur le dos.

Je parviens à traîner mon chagrin jusqu'à l'aéroport et à le mettre dans l'avion.

XX

Je savais bien que notre téléphone à Arden était écouté
— un des plus grands avocats de Californie m'en avait
aimablement informé — mais le petit incident qui m'attend à l'aéroport Kennedy, où j'ai à peine quinze minutes
pour changer en taxi de *terminal* et m'embarquer dans le
Boeing T.W.A. pour Paris, me comble d'aise.

Cher fils d'un ex-roi d'Orient, si vous lisez ces lignes,
croyez bien que je ne me permettrai nullement d'affirmer
que c'est la C.I.A. ou le F.B.I. qui vous a placé sur mon
chemin. D'ailleurs, je trouve parfaitement normal que,
me précipitant comme un fou avec ma valise pour ne pas
rater mon avion et manquer la Révolution à Paris, je sois
intercepté par un beau jeune homme qui ne paraît nullement ses quarante ans et porte le sigle de la K.L.M. à la
boutonnière. Il est chargé, m'explique-t-il, de l'accueil des
voyageurs internationaux à l'aéroport. Très bien, merci,
ça va, et vous-même, mais mon avion part dans dix minutes
et... Geste rassurant et royal de la main. Ne craignez rien,
vous ne le manquerez pas, asseyez-vous, vous avez tout le
temps... Je m'assieds. Puisqu'il faut être accueilli ou cueilli,
laissons-nous faire, c'est peut-être bon. Tout de même,
sur les quelque vingt mille voyageurs qui passent par ici,
il faut que ce soit moi qu'on caresse. Et pourquoi porte-t-il

le sigle K.L.M., s'il est chargé de l'accueil international?
Il se présente, et il me donne sa carte, c'est un prince.
Je vous dis : le fils d'un ex-roi d'Orient, il faut de tout
pour faire un monde.

Que pensez-vous de l'Amérique, de la pauvreté en
Amérique et de l'incroyable misère des Noirs américains?
Comme ça, à brûle-pourpoint, sans préambule. Je suis
absolument stupéfait. Mon Dieu, prince, que m'apprenez-
vous là? Vous n'allez pas me dire qu'il y a de la misère en
Amérique ou que quelque chose ne va pas chez les Noirs
américains? Vous savez que mon avion va partir dans
cinq minutes et que, pour arriver à temps côté « départ »,
il faut prendre un taxi? D'un geste de sa main princière
— une très belle main, parole de péquenot — il me rassure. Soyez sans crainte, vous arriverez à temps. Ainsi,
vous ne vous intéressez pas particulièrement au problème
des Noirs aux États-Unis?... Prince, lui dis-je, je suis gaulliste. Politiquement, je frise donc l'extrême droite. Je vous
jure que l'Amérique peut dormir sur ses deux oreilles.
Et à part ça, comment ça va au pays de Kipling?... Ainsi,
au cours de votre séjour aux États-Unis, vous ne vous
êtes nullement intéressé ou mêlé à cette agitation qui
s'empare des milieux noirs?... Je regarde ma montre.
L'avion vient de partir. J'ai raté la Révolution. Je me
lève. Il reste assis. Très décontracté. Princier. Une allure folle.

— Putain de merde, dis-je, car il y a tout de même des
moments où la sève du terroir déborde et fait fleurir sur
mes lèvres des fleurs populaires inouïes.

Mais il est des oreilles princières qui savent demeurer
bouchées devant l'inélégance.

— Croyez-vous à des mouvements insurrectionnels en
Amérique?

— Écoutez, lui dis-je. *Fifty-fifty*.

— Comment?

— Faisons une affaire. Moitié-moitié. Vous me foutez la paix et me donnez votre adresse. Je vous donnerai la mienne. Vous m'enverrez un questionnaire complet, je m'engage à répondre. Parole de gaulliste. Vous savez, de Gaulle ne transige pas avec l'honneur.

Il n'hésite pas, reprend sa carte de visite et note au crayon son adresse dans un coin. Mais pour une adresse, c'est une adresse. Il a simplement marqué : aux bons soins de Chase Manhattan Bank. Les boîtes postales, ça le connaît.

Je regarde encore une fois l'heure, machinalement.

— J'ai raté mon avion.

Il se lève avec un de ces sourires supérieurs et gestes de main dédaigneux d'homme du monde sûr de ses domestiques.

— Mais pas du tout, dit-il. Allez-y. Il y a une voiture qui vous attend...

Les *Mille et Une Nuits*, voilà! Les *Mille et Une Nuits*, le coup de baguette magique d'une puissance surnaturelle... *Car l'avion m'avait attendu.*

Prince, si vous lisez ces lignes, oyez ceci : je suis un romancier. J'ai trop d'imagination. L'idée que vous êtes une barbouze est monstrueuse et témoigne d'une fantaisie morbide débridée. Vous êtes tout simplement la preuve vivante que les *Mille et Une Nuits* continuent autour de nous leur secrète magie et que, héritier de Haroun al-Rachid, vous êtes un bon génie que des puissances bienveillantes avaient placé sur mon chemin afin de retarder de vingt minutes le départ de l'avion pour Paris et nous permettre d'avoir une petite conversation amicale.

TROISIÈME PARTIE

XXI

Je trouve Paris toutes tripes dehors, débordant de détritus dans un immense élan de sincérité. On dirait que la Révolution fait passer la ville aux aveux. Kravitz, le reporter de la station K.L.X. à qui j'avais prêté mon appartement, n'est pas là, mais ses bandes sonores et ses appareils traînent partout. Je mets une bande au hasard, j'entends des explosions, une voix qui hurle : « Ah, les salauds, les salauds! Allongez-le, allongez-le! » Puis une autre qui gémit : « Mes yeux, mes yeux! » Kravitz est un grand collectionneur d'histoires sonores. Dans sa sonothèque à Magnolia, j'ai écouté le dernier souffle des mourants, enregistré au Viêt-nam, et la bande magnétique portait les mots : *G.I. dying, Têt offensive, Battle of Saigon.* Je mets quelques autres bandes au hasard : des cris de mouettes, le bruit des vagues, une femme en train de jouir... une autre bande, *Biafra 1968.* J'écoute le silence, pendant que la bande se déroule. Pas un son, pas un cri, le silence absolu... Je vous jure que ça fait travailler l'imagination...

La nuit parisienne est ponctuée d'explosions. J'entends un bruit de galop, je vais à la fenêtre : une dizaine de jeunes gens remontent la rue du Bac en scandant : « Nous-voulons-le-tiercé! Nous-voulons-le-tiercé! » Ils entonnent en chœur :

Les bourgeois, c'est comme les cochons.
Plus ça devient gras, plus ça devient con!

C'est bien possible, mais je trouve que les milliers de graffiti qui couvrent les murs de Paris, tous ces slogans griffonnés sur les affiches consacrent la victoire de la publicité de marque, et j'imagine presque M. Blanchet-Bleustein offrant une bourse de vocation *Publicis* à l'étudiant vainqueur du concours.

Je sors pour aller dîner chez Lipp et, rue de Sèvres, devant le panneau d'affichage, je tombe sur B., un de mes anciens camarades de la faculté de Droit, aujourd'hui avocat célèbre, en train de méditer devant les inscriptions :

Empaillez de Gaulle!
C.R.S., S.S.!
Le fascisme ne passera pas!

B. ne me voit pas. Il est là, devant le panneau, avec sa rosette sur canapé de commandeur de la Légion d'honneur, le regard perdu. Puis, furtivement, il sort un crayon feutre de sa poche, jette un coup d'œil prudent autour de lui, se tourne vers le panneau et commence à écrire. Je lis :

Libérez Thaelmann!
Franco, no pasarán!
Chiappe, au poteau!
A bas la Cagoule!

Je lui tape sur l'épaule. Il fait un petit bond, puis me reconnaît. Nous nous serrons la main. Je lui prends le crayon. J'écris :

Libérez Dimitrov!
Vengeons Matteotti!
Sauvez l'Éthiopie!

Il m'arrache le crayon des mains, l'œil fiévreux. Il écrit :

La Roque ne passera pas!
J.P. assassins!
Désarmez les ligues!
Ils ont tué Roger Salengro!

C'est mon tour :

Libérez Carl von Ossietzky!
A bas les deux cents familles!
Vengeons Guernica!
Tous à Teruel!

Je me redresse. On se regarde. C'est un moment émouvant entre tous. Ce n'est pas tous les jours qu'on a vingt ans.
Il me reprend le crayon :

Les morts du 6 février demandent des comptes!
Pour un front uni de la gauche, tous à la Mutualité!
Staline avec nous!

Un car de C.R.S. passe lentement, et nous prenons un air innocent. B. a l'œil humide.

— On les aura, me murmure-t-il. Madrid tient toujours.

— Blum leur enverra des avions, dis-je.

Je reprends le feutre, mais il ne nous reste plus de noir. Ça ne fait rien, ce n'est pas le noir qui manque. Nous nous serrons encore une fois la main avec émotion et je le quitte, soulagé, je marche fièrement, la tête haute. J'ai pris part à la lutte, moi aussi.

J'hésite entre une choucroute chez Lipp et un cassoulet chez René, mais, depuis qu'il y a la Révolution, les restaurants sont bondés. Je me case tout de même chez Lipp, où une jeune fille, à la table voisine, explique que les C.R.S. ont déjà tué une centaine d'étudiants et ont jeté les corps dans la Seine, pour que ça ne se sache pas. Elle est en train de se taper un bœuf gros sel, tout en donnant des détails précis sur les étudiantes violées dans les commissariats, où l'on achève aussi les blessés. Elle commande un mille-feuille. J'ai une envie terrible de ce mille-feuille, mais ça fait engraisser. La jeune femme finit le gâteau à la hâte et se lève, avec ses amis : ils vont finir la nuit sur les barricades. Je demande à Roger Cazes comment va le ravitaillement :

— On tient, me dit-il.

Rassuré, je me retire.

Ils ont mis le feu au tonneau de goudron devant le *Bon Marché*, où il y a un chantier, et des silhouettes gesticulantes s'agitent autour du brasier. Sur le fond puant et grésillant des flammes, j'aperçois un Noir qui porte une calotte nigérienne et un *burdaka* de Zambie avec, sur le dos, les mots *screw you* en caractères psychédéliques.

Il gueule :

— *Burn, baby, burn.* Brûle, bébé, brûle !

Entendre ce cri de guerre du *Black Power* américain à

Sèvres-Babylone me donne chaud au cœur, éveille en moi une nostalgie que seuls peuvent comprendre ceux qui ont laissé là-bas, très loin, à Beverly Hills, une piscine chauffée, une Oldsmobile air-conditionnée et quatorze chaînes de télévision, sans compter les chaînes « éducatives ».

— *Burn, baby, burn!*

Chaque fois que je vois un Américain à Paris, j'éprouve un élan de sympathie. Il lève les bras :

— Brûle!

Et il est tout près de la vérité, cet Américain, face à la flamme française. Car, pour moi, aucun doute : lorsque nos C.R.S. se jettent en avant, matraque au poing, à Sèvres-Babylone, c'est au ghetto américain qu'ils ont affaire, au Viêt-nam, au Biafra et à tout ce qui crève de faim sur la terre. La révolte de la jeunesse de Paris s'inscrit tout naturellement dans ce récit parce qu'elle ne vise aucune situation sociale spécifique : *elle les vise toutes.* Ces poings français serrés, ces poings blancs, ce sont aussi des poings noirs. Il n'y a aucun doute là-dessus. Depuis la télévision et le transistor, le monde qui nous bombarde de ses indignités est devenu une immense entreprise de provocation, et vous vous attaquez à ce que vous avez sous la main, vous cassez tout, vous vous *exprimez.* Pompidou paie pour l'assassinat de Che Guevara. C'est ainsi que, d'une certaine façon, inattendue, les étudiants de Paris sont en train de renouer, en lui donnant cette fois un contenu authentique, avec la vénérable « tradition humanitaire française » et même avec notre « mission universelle ». S'il n'y avait pas la condition noire, sud-américaine, le Viêt-nam, le Biafra et la servitude ailleurs, la Révolution des étudiants de Paris ressemblerait singulièrement à une émeute de souris dans un fromage. Mais l'impact instantané du monde sur les consciences non encore avilies mène ou bien à l'avachissement et à l'indifférence, celle qui permet au journal télévisé de vous servir ses cadavres et ses horreurs, ses misères et ses famines à huit heures du soir pendant que vous êtes en train de dîner tranquillement, ou bien à l'explosion.

— *Burn, baby, burn!*

Je m'approche.

— *American?*

— *You bet. Chicago.* Bien sûr!

Je l'invite à boire un verre chez moi. Il hésite, le regard méditatif derrière ses lunettes.

— *No, thanks.* De deux choses l'une : ou bien vous êtes un pédé, ou bien vous êtes le genre de Français qui n'a pas grand-chose à se mettre sous la dent et qui s'accroche aux Noirs. J'en ai marre d'être exploité par les belles sensibilités blanches. Qu'est-ce que vous faites dans la vie?

J'aime beaucoup l'expression : « Qu'est-ce que vous faites dans la vie? » Cela me fait toujours rêver aux autres, à tous ceux qui doivent faire des choses formidables dans la mort, là où tout reste à faire.

— Je suis écrivain.

— *Oh, shit!* dit-il. J'aurais dû m'en douter. Moi aussi.

C'est mon tour d'être écœuré. Nous nous regardons avec dégoût. D'un seul coup, on a l'impression de savoir tout l'un de l'autre.

Je demande :

— Vous êtes sans doute à Paris pour travailler tranquillement à un roman sur la lutte des Noirs américains? Une bourse de la Fondation Rockefeller?

Il joue l'étonnement.

— Tiens, comment avez-vous deviné?

— Parce que je fais la même chose. C'est un sujet à ne pas rater.

Il se marre. Les Noirs paraissent toujours beaucoup plus joyeux et rieurs que les autres, simplement parce que leurs dents éclairent davantage, par contraste.

— J'ai un joli sujet, dit-il. Il s'agit d'une mère de famille blanche qui s'envoie en l'air uniquement avec les Noirs, parce qu'avec les Noirs ça se passe dans un autre monde, elle n'a pas l'impression de tromper son mari.

Je crois saisir dans ses yeux une petite étincelle de complicité terroriste. Aurais-je rencontré un frère de race? Je le tâte un peu :

— Ensuite, je suppose que votre bonne femme va vivre avec un Noir, mais le trompe avec un Blanc, pour procurer à son amant noir un merveilleux sentiment d'égalité raciale avec les Blancs.

Quelques grenades lacrymogènes explosent du côté du *Lutétia*. Il fait un signe d'approbation.

— C'est à peu près ça. Le Noir est un chanteur millionnaire. Il va vivre aux Bahamas. Il explique à tout le monde que c'est parce qu'il ne peut plus supporter l'Amérique blanche. En réalité, il en a marre des militants noirs qui le traitent de salaud parce qu'ils trouvent qu'il ne fait pas assez pour eux.

Un frère, je vous dis. Un frère de race. Je reconnais en lui cette étincelle sacrée d'un terrorisme qui n'exclut personne.

Il lève un doigt :

— Coup de théâtre. Le Noir reçoit une lettre anonyme : sa bien-aimée est en réalité un travesti. Il ne s'en était jamais aperçu avant, parce que c'était la première fois qu'il couchait avec une Blanche. Il ne savait pas comment c'est fait.

Nous nous serrons la main. Devant le *Bon Marché*, les lances des pompiers pissent sur les flammes. Nous allons boire un pot ensemble.

— Je suis venu en Europe pour écrire un roman sur Laure et Pétrarque. Non, pas une Laure et Pétrarque *noirs* : les vrais, ceux de l'Histoire... Je suppose que je suis un réactionnaire.

Je rentre chez moi, soulagé. Il y a encore dans le monde un noyau d'authentiques résistants. Une permanence assurée... Mais il faut pourtant reconnaître que cette soif de pureté et d'authenticité absolues vous isole, vous éloigne, vous enferme à l'intérieur de votre petit royaume du Je et empêche tous les ralliements... Je rôde dans l'appartement vide, en écoutant les grenades lacrymogènes. Jamais Margot n'a autant pleuré.

XXII

J'écris pendant une heure ou deux : cette façon d'oublier... Lorsque vous écrivez un livre, mettons, sur l'horreur
de la guerre, vous ne dénoncez pas l'horreur, vous vous
en *débarrassez*... Je laisse tomber mon stylo et monte au
cinquième. Madeleine est là, dans la chambre minuscule.
Les vrais vivants, à Paris, c'est dans les chambres de bonne
qu'il faut les chercher... Je l'embrasse.

Elle attend son bébé pour fin juin. Ses yeux sombres
ont cette curieuse expression en suspens, cette sorte de
temps d'arrêt, que j'ai souvent remarquée dans le regard
des femmes enceintes. Un psychiatre m'a dit que la plupart des névroses disparaissent pendant la grossesse, par
un mécanisme physiologique encore inconnu.

— Comment ça va, Madeleine ?

Elle sourit. C'est un sourire courageux, donc ça va mal.
Des ennuis d'argent ? Non, pas tellement... Sa famille leur
vient en aide. Mais Ballard n'arrive pas à se faire à la
vie en France.

— Vous savez, il est très américain...

— Qu'est-ce qu'il lui manque ? On peut trouver ici
aussi le racisme en cherchant bien.

— Oh, ce sont de petites choses...

— *The world's series ?* Le base-ball ?

Je prends soudain conscience de mon agressivité. Je suis le genre de monsieur qui ne reconnaît le droit de ne pas aimer la France qu'aux Français. Si un Lyonnais me dit que la France est un pays de cons, je me montre très bienveillant, mais si c'est un Américain qui me sort le compliment, je deviens hargneux. Allez y comprendre quelque chose.

— Il ne trouve pas de travail, dit Madeleine. Il a suivi un cours de perfectionnement de coiffure pour dames, mais c'est impossible, vous comprenez.

— Si c'est une question de permis de travail, je peux arranger ça.

— Ce n'est pas ça. Aucun patron ne veut engager un coiffeur pour dames noir...

— *En France ?*

Elle fait un geste résigné.

— Même au cours, où il coiffait gratuitement, il y a des bonnes femmes qui ne voulaient pas qu'un Noir les touche...

J'émets une sorte de ricanement haineux. Les grenades qui explosent au loin prennent soudain un sens lumineux. J'essaie de me calmer, je me dis que la Bêtise, c'est grand, c'est sacré, c'est notre mère à tous, il faut savoir s'incliner devant Dieu. La vraie connerie crasse, avec des complications gynécologiques. Ces pouffiasses qui refusent qu'« un Noir les touche » me font penser à une fille, il y a trente-cinq ans, qui avait d'abord repoussé ma main en murmurant : « Non, non, si vous me touchez, je perdrai la tête. » En grec classique, ça s'appelle « invitation à la valse ». Il faut vraiment croire qu'une main de Noir doit leur faire un drôle d'effet...

J'écoute les grenades exploser dehors, mais c'est du toc. Des lacrymogènes. La Révolution de mai me fait soudain l'effet d'une bleuette. Je ne me rendais pas compte à quel point le dernier mois avec Jean en Californie avait ébranlé mes nerfs. Je ressens dans les bras et dans les poings une tension, une frustration, comme une dernière trace des grands besoins physiques de l'adolescence. J'essaie de m'adoucir en fermant les yeux et en faisant le compte de tous les nazis que j'ai tués pendant la guerre, mais cela ne fait que me déprimer : vous voulez tuer l'Injustice, mais vous ne tuez que des hommes. Camus a écrit que l'on condamne à mort un coupable, mais qu'on fusille toujours un innocent. Toujours cet infernal dilemme : l'amour des chiens et l'horreur de la chiennerie. J'en viens à jeter au gros ventre de Madeleine un regard d'antipathie.

— Ballard a le mal du pays, voilà, dit Madeleine.

J'éclate de rire sans gaieté. Ce Noir, déserteur par amour à qui manque son cher pays natal — celui-là même que ses frères de couleur aspirent à faire sauter —, c'est exactement ce qu'il me fallait pour me divertir. Je me reprends en laisse, péniblement.

— Il a été élevé en Californie, à Los Angeles, dit-elle, et ici, évidemment, c'est très différent...

— *Watts*, vous connaissez, Madeleine? C'est en Californie, à Los Angeles. Un quartier rasé par l'émeute, et trente-deux morts...

— Oui, bien sûr, Ballard m'en a parlé. Mais il n'est pas raciste...

J'aboie presque.

— Quoi? Qu'est-ce que ça veut dire?

— Il pense que c'est un mauvais moment à passer, mais qu'avec la menace chinoise...

Le péril jaune. Je l'avais oublié, celui-là.

— Nom de Dieu, dis-je, avec un désespoir total.

— Il croit qu'avec la menace qui pèse sur l'Amérique la question de couleur va disparaître. Regardez au Viêt-nam, les Blancs et les Noirs se battent côte à côte comme des frères...

Je serre les dents. Et pourtant, ce qu'elle me dit n'est pas entièrement fou. C'est peut-être très mal présenté, mais il y a un fond de vérité. Ce qui manque aux Blancs et aux Noirs américains, c'est une communauté de souffrance... Au moment où je corrige ces épreuves, le cyclone Camille vient de ravager le Sud, rasant des agglomérations entières. Un centre de secours a été établi près de Hattiesburg, dans le Mississippi, royaume de la suprématie blanche. Eh bien — ô doux miracle! — ce camp de secours était entièrement *intégré*, les Blancs et les Noirs sauvés des eaux dormaient ensemble comme dans un quelconque Auschwitz. Et le *Newsweek* du 1er septembre 1969 cite cette phrase adorable et peut-être prophétique, d'une dame sudiste blanche : « Je ne pense pas que, par le temps qui court, on puisse faire attention à la couleur de la peau. »

Je crois que Ballard a tragiquement raison. Il manque aux Blancs et aux Noirs américains une communauté de malheur qu'ils n'ont jamais connue au cours de leur histoire, telles celles qu'ont connues les pays européens, un cataclysme fraternel.

— Ballard est un garçon très marqué par le mode de vie américain, dit Madeleine.

Elle sourit tristement.

— J'ai même acheté un livre de cuisine américain...

Je récite automatiquement :

— *Fried chicken. Gumbo soup. Baked beans. Lemon and apple*

pie, the way Ma cooks them. La bonne cuisine de Maman.

J'entends des pas dans le couloir et Ballard entre. Il a maigri. La dernière fois que je l'avais vu, il avait vingt-deux ans. Une bonne tête de petit gars de chez nous, aux traits fins, comme presque tous les Noirs dont la souche vient de la Jamaïque, long cou, pomme d'Adam en avant. Il a l'air tellement désorienté qu'il m'aperçoit à peine, s'assied sur le lit. Il porte des godasses de l'armée. Il me regarde, puis fait un geste vers la fenêtre.

— *Can you tell me what's all this about? What's the matter with those kids?* Qu'est-ce qui leur prend, à ceux-là ? *They don't even have the problem.* Ils n'ont même pas *le problème.* Ils sont tous blancs, là-dedans. Alors, quoi ?

C'est désarmant, parce qu'il y a dans ce cri du cœur de Ballard un merveilleux aveu : l'amour de l'Amérique. Pour lui, et je dirais sans hésiter pour quatre-vingt-dix-neuf pour cent des Noirs américains, leur pays serait le plus beau du monde s'il n'y avait pas le racisme. Le seul défaut de ce paradis terrestre est qu'il les refuse.

Ballard est assis sur le lit, regardant ses pieds.

— *You know somethin'? They lost me here.* Je ne peux pas les suivre. Ces types-là n'ont pas de problème *à eux.* Tous leurs problèmes, ce sont toujours ceux des autres. Le Viêt-nam, le racisme chez nous, le Biafra, l'Afrique du Sud, la Tchécoslovaquie... ils sont toujours chez les autres...

Je dis, solennellement :

— C'est ça, la France. Rien de ce qui est humain ne nous est étranger. C'est ce qu'on appelle la vocation universelle de la France. De Gaulle est comme cela aussi.

Il me jette un coup d'œil assez mauvais :

— J'en ai marre de vos abstractions, dit-il. Il faut les entendre parler du « problème noir », boulevard Saint-

Michel. C'est comme s'ils avaient réussi leur vie. Il paraît que c'est la lutte des classes, le problème noir, le capitalisme. Ils n'ont pas la moindre idée de quoi ils parlent. Pour comprendre ça, il faut être *américain*.

C'est exactement ce que disent aux étrangers les politiciens sudistes...

— Tu regrettes d'avoir déserté?

Il jette un regard vers Madeleine, sourit.

— Non.

Elle est debout près du réchaud à gaz, nous tournant le dos, en train de pleurer. Les dos qui pleurent, vous connaissez? J'ai envie de me lever, d'aller mettre mon bras autour de ses épaules... mais elle n'est pas à moi. Je jette à Ballard un regard de travers. Ça ne lui va pas, ce petit béret basque. Est-ce que je serais un peu jaloux, par hasard?

Il secoue la tête.

— La société de consommation, vous en avez entendu parler? Ils veulent foutre les supermarchés en l'air. Nous, à Watts, on les pillait... C'est toute la différence entre eux et nous. Des poules de luxe. *Classy cats.*

Je trouve soudain quelque chose de complètement incongru dans la présence ici, sous les toits de Paris, de ce grand Américain noir. C'est son cou très long et cette pomme d'Adam démesurée qui rend le petit béret basque si ridicule. Je voudrais bien savoir ce qu'elle lui trouve, Madeleine. Je soupire. Enfin, en amour, on ne choisit pas.

— *All the cats here are communists*, m'explique-t-il. Tous les mecs ici sont communistes. Dès qu'ils me voient, ils se mettent à jouer du violon. Toujours le même air. De la propagande communiste. Ils deviennent copains avec moi uniquement parce que j'ai la peau noire. Ce n'est pas moi qui les intéresse, c'est ma couleur. J'ai jamais vu de mecs aussi *color-conscious*, pas même chez nous.

Il me regarde moqueusement :

— *Say, what do you do when you are a black American and you are homesick? Crazy.* Que faire quand on est un Noir américain et qu'on a le mal du pays ? C'est dingue.

— Dès que la guerre sera finie, il y aura l'amnistie.

Il bat la mesure du pied.

— Ça peut durer des années, dit-il.

Madeleine se tourne vers nous. Il y a des femmes qui pleurent comme si elles ne pleuraient pas, le visage demeure entièrement paisible, et cela évoque toutes les acceptations, les résignations millénaires.

— Il veut se constituer prisonnier.

Ballard bat la mesure du pied, et sa tête suit le rythme.

Il faut que je fasse mettre une ou deux autres prises dans cette chambre, il y fait trop sombre.

Nous nous taisons. Les grenades se font de plus en plus lointaines. *Homesick...* évidemment. Le Noir américain est ce qu'il y a de plus traditionnellement américain. La population noire est d'un américanisme encore proche de la source. La raison en est évidente. Parce qu'elles ont été oubliées par la culture et l'éducation, les masses noires croient encore au « rêve américain », à l'*American way of life*, à l'Amérique telle qu'on la parle. Dans la mesure même où ils ont été maintenus dans les couches sociales inférieures, la majorité des Noirs américains croient encore aux valeurs dont ils n'ont jamais été affranchis par un intellectualisme sophistiqué... Avec leur retard dans l'éducation et l'émancipation, les familles noires pauvres du Sud sont aujourd'hui ce qui reste là-bas de plus proche de l'idéal de vie des pionniers... Le provincialisme tellement ahurissant d'un homme comme le pasteur Abernathy est représentatif d'un américanisme de base qui n'a pas encore été remis en question par l'intellectualisme et l'abstraction.

Ballard rit silencieusement, secouant la tête.

— Pas croyable, dit-il. Dès qu'ils me voient, c'est à qui va taper le plus fort sur l'Amérique. Et pourtant ils sont en train de tout faire sauter, et ils ont même pas le « problème ». Si on avait pas le « problème », nous, vous vous rendez compte du pays qu'on aurait ? Qui est-ce qui pourrait dire mieux ? Les Russes ? Les Chinois ? Ils me font rigoler. La seule chose qu'ils voient en moi, ces petits Français, c'est le « problème ». Il y a des moments où je me sens avec eux comme si j'étais avec des espèces de racistes, sauf que c'est même plus grave, parce que je peux même pas leur casser la gueule. Ils ont de petits sourires supérieurs quand ils me parlent de l'Amérique, ils font de la suprématie, voilà. Comme les « bons » Blancs dans le Sud, quand ils parlent des Noirs. Les États-Unis, pour eux, c'est pourri, c'est dégueulasse, c'est de la merde. Moi, je suis sensé écouter ça et leur dire oui, *merci beaucoup*. C'est comme si j'étais pas américain à leurs yeux, parce que j'ai la peau noire. C'est tout ce qu'ils voient en moi, la peau noire...

— Au fait, il y a combien de temps que tu es parti ?

— Ça va faire dix-huit mois... Comment va mon père ?

— C'est dur, là-bas, en ce moment.

— Le *backlash ?* Choc en retour ?

— Il y a surtout le championnat...

Il me regarde.

— Oui, le championnat. La grande compétition. C'est à qui ira le plus loin dans le fanatisme.

— Qui est le champion, en ce moment ?

J'hésite.

— Ron Karanga. Il a des appuis solides... Ce qu'il y a d'atroce, c'est que le championnat exige l'élimination du concurrent... La compétition intérieure de certains groupements du « pouvoir noir » commence à faire penser aux mitraillettes des années trente, à Chicago... La domination du marché. Trois étudiants abattus encore l'autre jour, à UCLA.

Il réfléchit un moment.

— Oui, mais au moins, là-bas, *back home, everything makes sense*... On sait ce qui ne va pas. On sait *pourquoi*... *You know why*. Il y a une raison précise : la couleur de votre peau. Ça explique tout. On sait pourquoi on se bat. Mais ici, on sait plus rien. Il n'y a plus d'explication...

Je pense : ici, il a perdu sa clef universelle, la couleur de sa peau. Alors, il reste une angoisse plus profonde et plus confuse...

Il écoute la nuit française qui gronde.

— Ces étudiants, vous pouvez me dire pourquoi ils font ça?

— La sensibilité...

Il secoue la tête.

— *I don't get it*... Comprends pas... c'est les communistes qui sont derrière...

— Des nouvelles de Philip?

— Il a été promu officier. Mais il croit que c'est foutu, là-bas. Les Sud-Vietnamiens ne veulent pas se battre. Il me répète dans chaque lettre que s'il y avait des soldats comme les Viets avec lui, il serait à Hanoï en quinze jours... C'est un guerrier, Philip... on ne se ressemble pas.

— Tu veux vraiment rentrer?

Il se tait.

— Ballard ne s'habituera jamais à la France, dit Madeleine. C'est trop... trop pas américain, ici. Ce sont les petites choses qui lui manquent, je ne sais même pas quoi... comme mes parents, lorsqu'on a été obligés de quitter l'Algérie...

Des traits d'une finesse presque fragile, de longs cheveux noirs... Il y a chez cette fille une extraordinaire simplicité, droite comme le regard, qui semble toujours venir de quelque source de loyauté originelle. Vous rencontrez ce regard et vous vous dites : on peut compter sur elle. Il n'y a pas de beauté plus grande chez une femme.

— Finalement, tout ça, c'est de ma faute.

Je ne sais pas si elle est croyante, mais cette voix d'une tranquillité un peu triste est chargée de toutes les résignations chrétiennes...

— Quand il a déserté pour me rejoindre, j'étais tellement heureuse que je n'ai pensé à rien... et maintenant...

Je répète sans aucune conviction, comme un automate :

— Il y aura l'amnistie...

Je ne suis jamais parvenu à changer mon regard. C'est encore celui de mes vingt ans. Madeleine, comme tu es jolie. J'ai toujours été plus sensible aux femmes jolies qu'aux femmes belles : les femmes belles ont toujours l'air de n'avoir besoin de personne.

Elle nous verse le café.

— C'est du café américain... je m'y suis habituée.

Ballard la regarde un moment avec une intensité figée qui me donne l'impression d'être ici un intrus. Je me surprends à penser : c'est à eux, cet amour... Tant pis, il faut savoir en finir. Je vais encore écrire douze heures. Ballard se lève et va la prendre dans ses bras. Cette peau si blanche contre la joue noire donne à ce couple que guettent mes yeux envieux cette absolue perfection que peuvent offrir seulement les contrastes qui se cherchent pour se compléter naturellement, une des grandes lois du monde. J'ai la gorge serrée et je me débarrasse de mon émotion, comme d'habitude, en débitant dans mon for intérieur un chapelet d'obscénités. Dans ce moment de colère impuissante où l'impossibilité d'aider, de redresser, de remédier s'exaspère à l'évidence même du remède, je mêle en général à mon tumulte intérieur tout le « complexe » enfer, terre et ciel. Mais, comme il y a peut-être des croyants parmi les racistes qui me lisent, je tiens à respecter leur profondeur spirituelle. J'ai pour le Dieu des autres le plus grand respect.

Je regarde la solution qui est là, sous mes yeux et dans le ventre de cette Blanche enceinte, le seul avenir possible, cette harmonie des contrastes qui a été depuis toujours la loi la plus profonde de la terre. Hurler, c'est-à-dire écrire ? Dites-moi donc le titre d'une seule œuvre littéraire, depuis Homère jusqu'à Tolstoï, depuis Shakespeare jusqu'à Soljénitsine, qui ait *remédié*...

Je me lève. Je ne peux plus rester ici. Mes poings serrés proclament surtout l'impuissance des poings. Je vais embrasser Madeleine sur la joue, paternellement, avec le sentiment d'être un tricheur. J'ai envie de la prendre dans mes bras, d'appuyer sa jolie tête contre mon épaule. Cette chevelure brune a le parfum des forêts de mon enfance... Il n'y a rien de plus heureux que le bonheur des autres. Je dis avec cette autorité exagérée qui masque un manque absolu d'assurance :

— Ça s'arrangera.

Je donne une tape sur l'épaule de Ballard, sans le regarder. C'est un de ces moments pour moi totalement insupportable où je me sens envieux et hypocrite. Il ne faut tout de même pas qu'il s'imagine que je suis un peu amoureux de sa femme, à cinquante-quatre ans. Leur situation est déjà assez dure sans ça. Paternel, c'est tout. Cependant je ne peux pas m'empêcher de lui lancer en sortant :

— Tu devrais pas porter ce p'tit béret. Ça ne te va pas.

Je sors de là écrasé, avec l'horrible sentiment d'être une belle nature.

XXIII

Il paraît qu'au Touamotou il y a encore des atolls
vierges, mais, au lieu de prendre l'avion, je me contente
d'aller dîner chez Lipp avec Kaba, l'étudiant guinéen,
lequel est une de ces créations extraordinaires de notre
temps : un mélange de rêve africain avec la dialectique
marxiste, où le mao-léninisme remplace la vieille sorcellerie toute-puissante capable de faire pleuvoir.

Ça barde dur, à Saint-Germain-des-Prés les C.R.S. et
les étudiants font du troc, pavés contre gaz lacrymogènes.
Roger Cazes a fait baisser le rideau de fer de la brasserie
et, pour sortir, on nous fait passer par le premier étage
et une autre porte. Il y a un cordon de C.R.S. devant la
brasserie. Un C.R.S. rubicond, du genre Roi Pausole
casqué, qui vous sent le terroir, le bon vin et le bon foutre,
caparaçonné jusqu'aux bottes, le bouclier de saint Louis
à la main, m'arrête sur le trottoir.

— On ne passe pas.

Je regarde : la jeunesse intellectuelle est du côté de
l'église, à droite. J'essaie de lui expliquer que la rue du
Bac où j'habite est du côté opposé.

— Écoutez, je tourne à gauche...

Le Roi Pausole plisse les yeux. Je constate qu'il ressemble

énormément à Sa Majesté le Roi Carnaval de ma chère ville de Nice presque natale. Ses yeux se plissent de plus en plus, et c'est accompagné d'un sourire de ses lèvres dodues. Lorsque la connerie plisse les yeux, c'est quelque chose, ça pétille littéralement d'imbécillité là-dedans, le vent de l'esprit souffle et m'envoie à la figure des relents de gnole.

— Ah, tu tournes à gauche? Tiens, salope!

Je prends un coup de matraque sur la nuque : un moment d'indignation, et puis, brusquement, tout s'éclaire : j'ai une barbe, je porte un blue-jean, un blouson, pas de cravate et, comble de mal habillé, je suis en compagnie d'un jeune Noir. Ce coup de matraque ne me vise pas personnellement. Il est purement vestimentaire. Je suis mis en salopard. Le Roi Pausole s'est trompé de classe.

Des larmes de gratitude me montent aux yeux. Foi de bourgeois, je suis défendu. Ce n'est pas pour rien que je paie des impôts. Ce coup de matraque que j'ai pris sur la gueule prouve que je suis protégé contre la canaille. Je ressens une merveilleuse sensation de sécurité. Je sors mon passeport diplomatique, ma carte d'identité de compagnon de la Libération, ma carte d'adjoint numéro deux du ministre de l'Information, et je vais trouver le lieutenant. Je lui montre mes papiers.

— Commandant Gary de Kacew. Lieutenant, permettez-moi de vous féliciter.

Il jette un coup d'œil sur mes documents, me salue.

— Je me suis mis dans cette tenue de salopard pour faire une petite inspection. Vos hommes sont remarquables. Dans le genre réflexe instantané, on ne peut pas faire mieux. Le coup de matraque est parti pratiquement en même temps que le coup d'œil. J'ai moi-même un chien qui a été dressé pour attaquer les salopards, je m'y connais en dressage. Bravo.

Je lui serre la main chaleureusement. Il m'accompagne jusqu'à son Gaulois rubicond, je lui serre la cuillère également :

— Continuez, mon ami. La soupe est bonne ?

Il hésite un peu, louche vers le lieutenant. Trop de fayots, sans doute. C'est toujours trop de fayots.

— Ça peut aller, mon commandant.

— Vous aurez tous demain droit à un litron supplémentaire. J'en parlerai à mon ministre.

Je m'éloigne, avec le sentiment du devoir accompli. Kaba trotte à mes côtés, très inquiet pour moi. Pendant cet incident, il s'était rendu invisible, et pourtant il ne m'avait pas quitté d'un centimètre. Un véritable coup de magie noire : ce gars-là a une telle habitude des mêlées de rue qu'il a mis au point une technique de sorcellerie qui consiste à se volatiliser sur place tout en restant physiquement présent. Il doit avoir des générations de sorciers derrière lui.

— Vous n'avez pas mal ?

— Aucune importance. Le tout est de savoir que nous sommes défendus.

Je me précipite chez moi, bouillonnant de jeunesse : mes vingt ans reviennent au galop, une montée hormonale formidable. Je mets mon costume pied de poule le plus distingué, j'épingle ma rosette de la Légion d'honneur, je me coiffe de mon *Homburg hat* des grandes occasions, fait sur mesure chez Gellot. Le parapluie, on ne peut pas sans ça. Bien roulé. Je suis paré.

— Maintenant, Kaba, vous allez me laisser. Vous allez mal avec ma tenue. Allez, filez. Je vais faire la Révolution.

Il hoche la tête et s'en va, désapprobateur. Il a horreur des nihilistes.

Ceux qui n'ont pas éprouvé un sentiment de libération en regardant les films des frères Marx ou *Le Dictateur* de Chaplin ne comprendront sans doute rien à ma gesticulation fraternelle dans les rues de Paris, ce soir-là. Provocation? Bien sûr. Que voulez-vous qu'il fît, contre Troye? Qu'il se fît cheval... La nuque encore engourdie par le coup de matraque, je n'avais qu'une idée en tête : verser de l'huile sur le feu de la colère.

Tiré à quatre épingles, je descends donc dans la rue de Sèvres, où il y a une jolie confrontation devant le *Lutétia*. A trois reprises, les C.R.S. m'arrêtent poliment.

— Attention, monsieur, vous risquez de prendre un pavé.

— Laissez-moi tranquille. J'ai fait Koufra et la Normandie.

J'exhibe mon laissez-passer ministériel.

Il y a un salopard qui s'avance, une barre de fer à la main. Une vraie tête de Français, noiraud, tout en muscles, un mégot aux lèvres :

— Banane, qu'il me lance.

— Bande-mou, que je lui réponds.

— Fasciste, il braille.

— Sale Juif, je renvoie.

Cette fois, j'ai visé juste. Il n'y a rien qui mette plus en rogne les travailleurs que de s'entendre traiter de « sales Juifs ». Je sais exactement ce qu'ils ressentent : c'est comme lorsque je me fais traiter de « sale Français » en Amérique. Toute ma peau devient alors un drapeau tricolore. Il y a une sorte de vague humaine qui roule vers moi, j'effectue un repli stratégique vers les C.R.S., tout en gueulant :

— Tous des youpins!

Je suis assez content : je sens que j'ai ranimé la flamme sacrée. Il y a sûrement parmi eux de bons petits gars bien de chez nous, alors, vous imaginez... Quand je pense que j'ai perdu ma sainte Russie natale à cause des Juifs et que les Juifs sont allés si loin dans la traîtrise que même ma mère était juive et qu'ils m'ont ainsi rendu juif moi-même, je ne me retiens plus :

— La France aux Français! je gueule.

Les C.R.S. foncent en avant, matraque au poing. Je sens que j'ai accompli quelque chose pour ma mère patrie, je veux dire que j'ai vengé Moscou brûlé par Napoléon et tous nos morts de Borodino. Ce salaud de Kérenski, tout de même. Il avait eu dix fois l'occasion de liquider les bolcheviks. Maintenant, ils ont même pris l'Odéon.

Je marche tristement rue de Varenne, en proie à l'humiliation. C'est terrible, l'émigration. Ça vous rend consul général de France, prix Goncourt, patriote décoré, gaulliste, porte-parole de la délégation française aux Nations unies. Terrible. Une vie brisée. Je sors mon mouchoir de soie de chez Hermès et je m'essuie les yeux. Les gaz. Je m'aventure sur le boulevard Saint-Michel, toutes décorations dehors. Les étudiants s'écartent en se bouchant le nez.

La plus belle expérience du Paris révolutionnaire m'attend dans la cour de la Sorbonne où je me rends avec mes rubans de décorations bourgeoises et ma tenue de salonnard, par ce même goût de provocation terroriste qui anime ceux qui me lancent des quolibets. Déception : l'accueil est glacial mais poli. Des étudiants reconnaissent un ennemi du peuple notoire et la discussion s'engage. On m'attaque sur Malraux, les journaux ayant écrit que j'avais été placé par lui comme « sa créature » auprès du ministre de l'Information. Je leur dis qu'ils ont raison. La culpabilité de Malraux est évidente. Dès 1936, il invente Che Guevara, Tchen, le premier « garde rouge » et Régis Debray dans ses romans, et dès 1960 il met en place ces maisons de la culture d'où est partie « la contestation ». Bref, comme devait l'écrire le sensible Maurice Clavel dans *Combat*, Malraux est « une vieille ganache teintée de salaud ».

Tous mes arguments sont solides et les vôtres délirants, mais c'est vous qui avez raison. Pour le constater, il suffit d'ouvrir *Le Figaro* du 24 juillet 1968. Sous le titre : *Voyage au bout de l'horreur dans les camps où les réfugiés meurent lentement de faim*, vous trouverez un article effrayant de Jean-François Chauvel sur le Biafra. L'article commence par les mots : « Oh, Seigneur, entends notre colère... » et, juste sous le texte, il y a un joli placard publicitaire avec photo à l'appui : *Le Nouveau Port de Plaisance de Beaulieu-sur-Mer : une Réalité*.

La voilà, notre société de provocation. Ne me dites pas qu'il n'y a d'autre rapport qu'un voisinage typographique entre le Biafra et le nouveau port de plaisance de Beaulieu-sur-Mer, parce que cette absence de rapport signifie justement un rapport effrayant.

Je sors de là déprimé, avec l'impression d'avoir laissé ma jeunesse derrière moi.

Et c'est alors que la beauté se met soudain à régner rue des Écoles.

Une dame m'aborde. Une mère : à ses côtés, une jeune fille et un garçon qui lui ressemblent. Elle a l'air hâve, épuisée, et elle me rappelle ces femmes russes des années 1905 qui préparaient la Révolution et se faisaient déporter en Sibérie pour que leurs enfants et leurs petits-enfants se fassent un jour déporter en Sibérie. Une révolution qui triomphe, c'est encore une révolution de foutue. Essayez donc de me démentir, donnez-moi donc un exemple historique du contraire. J'ai entendu sa voix derrière mon dos :

— Monsieur Romain Gary, monsieur Romain Gary...

Je me retourne.

— Nous avons besoin d'aide...

Qui ça, nous? Ce visage-là, je le connais; ce n'est pas le genre de visage qui demande quelque chose pour lui-même.

— Qui ça, nous? Les étudiants?

Un sourire un peu amer.

— Oh, les étudiants, vous savez...

Je sais. Il y a quelques instants à peine, j'ai entendu, lancé par les haut-parleurs dans la cour de la Sorbonne, ce merveilleux appel :

— On demande un camarade avec une voiture pour se rendre dans le XVIe arrondissement...

Et le lendemain matin, aux *Deux Magots*, j'ai eu droit à quelque chose d'encore plus cocasse. Un vrai bijou. Je vous le sers tout de suite. La dame aux yeux déchirants attendra un peu sur le trottoir. Elle a le temps : elle est immortelle...

C'est à la terrasse des *Deux Magots* que je devais rencontrer Alain L. Un industriel éclairé qui est dans la soie, collectionneur de beaux tableaux. Je le connais peu, mais nous avons Walter Goetz en commun : il y a dans le monde des tas de gens qui n'ont absolument rien en commun, sauf Walter Goetz. Alain L. me parle de son fils qui fait partie d'un de ces groupements léninistes-trotskistes-révolutionnaires qui sortent partout du sol en ce moment, champignons succulents dont se délectent depuis toujours en salade les véritables connaisseurs comme Staline. Et c'est ce fils révolutionnaire qui est venu consulter son industriel de père : le groupuscule anarchisant dont il fait partie s'est péniblement constitué un capital qui doit assurer l'organisation et la vie du mouvement. Or, à cause justement des « événements » et de la grève générale, le franc baisse, on parle de dévaluation. Comment préserver ce capital de lutte révolutionnaire ? Faut-il acheter de l'or ?

— Dites-lui d'investir dans l'argent-métal. Ça va continuer à monter.

— Vous croyez ? Je ne peux pas me permettre de jouer un tour de cochon à mon fils. Si son groupe révolutionnaire subit des pertes, il va croire que je l'ai fait exprès.

Ce père bourgeois cossu et son fils trotskiste discutant ensemble de la meilleure façon de faire prospérer le petit magot révolutionnaire, c'est le triomphe de la logique sur les idées...

...Je regarde la dame au visage hâve et aux yeux où brûle, invincible, le feu de toutes les révolutions foutues.

— Il s'agit des grévistes de chez Renault.

J'attends. Elle hésite un peu.

— Le Parti communiste veut la fin de la grève générale. Les capitaux de soutien sont épuisés. Les grévistes, chez Renault, ne sont plus soutenus que par eux-mêmes... et la femme, à la maison, commence à en avoir assez... Est-ce que vous ne pourriez pas, *avec vos amis*...

J'entends bien : *avec vos amis.*

— ...réunir des fonds pour leur permettre de tenir ?

Je mets quelques secondes à réaliser, et puis j'ai l'impression qu'à force de la regarder les yeux vont me sortir de la tête. Je me trouvais en face d'un être qui venait à moi, fort de cette naïveté sacrée qui assure depuis des âges immémoriaux la survie de l'espèce. Il y avait là une confiance dans les hommes qui dépassait toutes les lignes de partage et toutes les catégories. Car enfin cette dame me connaissait. Je me présente à elle avec tous les signes extérieurs de l'ordre bourgeois. Un gaulliste notoire... Elle n'ignore donc rien de mon ignominie, elle sait que je suis exclu par tous les statuts en vigueur de ce « nous sommes tous des Juifs allemands » scandé par les étudiants français dans les rues de Paris. Et elle vient me demander, à moi, de réunir *avec mes amis* des fonds pour aider les grévistes de chez Renault à tenir!

Elle croira peut-être que j'exagère, mais les larmes me sont montées aux yeux. Bien sûr, ça ne veut rien dire, les larmes : elles ont la cuisse légère. Mais cette femme, malgré tous mes signes extérieurs de bassesse, est allée au-delà des signes. Le côté totalement irrationnel de sa requête relevait de la plus instinctive et profonde compréhension, celle qui retrouve spontanément cet au-delà où rien ne peut ébranler notre foi humanitaire. Déjà, sans même attendre ma réponse, elle griffonne quelque chose sur un bout de papier qu'elle me tend. Je lis : C.L.E.O.P. *Comité Liaison Étudiant*, un mot illisible, Agro — 16, rue Claude Kel 47 — Permanence salle 4.

Je lui donne tout l'argent que j'ai sur moi. Elle veut me faire un reçu.

— Allons, je vous en prie, madame, à la fin, merde... je n'ai pas besoin d'un reçu.

— C'est qu'il y a ici des voyous qui font la quête dans la rue et gardent l'argent pour eux-mêmes...

Elle plie soigneusement les billets et les met dans son sac.

— Et si seulement vous et vos amis pouviez réunir

quelques millions... les femmes des ouvriers sont excédées...

Je suis en proie à ce tic nerveux de l'épaule droite qui me tient lieu de palpitation émotive. Je regarde cette femme pour la dernière fois : j'ai l'impression d'être debout dans une rue de Moscou, en 1905. Il n'en reste plus une, en Russie. La Révolution a triomphé sur toute la ligne.

XXIV

Je rentre chez moi juste à temps pour décrocher le téléphone qui sonne. Jean me parle de Beverly Hills, et je reconnais, dès les premiers accents, le désarroi que les mots essaient de dissimuler.

— Je t'appelle pour te dire que je suis obligée de quitter la maison... si ça ne répond pas, ne t'inquiète pas.

— Qu'est-ce qu'il y a?

— Oh, des menaces...

Sa voix se casse.

— Ils ont empoisonné les chats... à titre d'avertissement...

— Maï?

— Non, Chamaco et Bang. Après quoi, coup de téléphone anonyme : « La prochaine fois, salope, ce sera ton tour. Ne viens pas te mêler de nos affaires, *you white bitch.* »

La voix reprend de l'espoir :

— Ce sont sans doute des Blancs qui font de la provocation...

Tu parles.

Leur phrase continue à résonner dans mes oreilles.

— Ne viens pas te mêler de nos affaires, *you white bitch*...

En un an, cette « chienne-là » a versé le plus clair de ce qu'elle gagnait aux groupements noirs...

— Ils ont aussi saboté ma voiture. Une roue dévissée... on a tiré à travers la fenêtre de la cuisine... et comme je suis seule à la maison...

C'est alors que j'entends ma voix qui dit froidement, quelque part, hors de moi, dans un autre monde, celui du grand dénominateur commun de la chiennerie :

— Retire Batka du chenil. Tu ne trouveras pas de meilleur gardien...

A l'autre bout du fil, une exclamation étouffée :

— Quoi, c'est *toi* qui dis ça ?

— Oui, c'est moi. Téléphone à Carruthers qu'il te ramène le chien immédiatement. Je me sentirai plus rassuré.

— Tu veux que je reprenne un chien dressé à sauter à la gorge des Noirs ?

— Légitime défense. Un salaud est un salaud, quelle que soit la couleur de sa peau.

Elle hurle et pourtant cela ne lui arrive guère :

— Jamais, tu m'entends, jamais !

— Tu as prévenu la police ?

— Tu veux que j'aille leur dire que je suis menacée par des Noirs, après toutes nos protestations contre les brutalités policières ?

Je réprime quelques jurons et je reprends lentement mon souffle, à cent francs la seconde.

— Jean, le droit le plus sacré, c'est de ne pas se laisser faire...

Elle m'interrompt :

— Je t'appelle uniquement pour te dire que je ne dormirai plus à la maison... ne t'inquiète pas.

Elle raccroche.

Je tourne en rond, au bout de cette laisse d'angoisses

dont l'autre bout est tenu par des mains inconnues à Hollywood. Il y a là-bas assez de drogués, de fous et de maniaques pour qu'aucune menace ne puisse être prise à la légère. Vers quatre heures du matin, je décide de tirer les choses au clair. Je téléphone à un ami, un jeune chef noir, un avocat auquel on n'oserait pas refuser des informations. Je lui explique l'affaire et il garde, de l'autre côté de l'Atlantique, un long silence de millionnaire, qui me coûte dans les dix dollars.

— Okay, dit-il. J'ai comme une idée que ça ne va pas être trop difficile...

Il lui a fallu exactement trente-six heures pour me donner avec une certaine lassitude dans la voix toutes les explications nécessaires.

— C'est sérieux?

— Pour l'instant, c'est seulement moche. Tu comprends, la belle vedette « riche », « célèbre », qui *descend* là-dedans...

— Alors?

— Alors, *c'est trop*. Jean Seberg, pour les femmes noires du mouvement, *c'est trop*...

Je me tais. Je vois. C'est humain.

— Ce n'est pas à proprement parler de la jalousie ou de l'envie... c'est du ressentiment. Nos femmes vivent dans l'état de siège, la peur, la pauvreté... *mais elles ont quand même tout ça bien à elles*. Alors, quand une belle vedette de cinéma *descend* là-dedans et attire tous les regards et les égards... elles se sentent volées. Elles ont l'impression qu'une star de cinéma vient de leur prendre un peu de leur bien, de leur drame, de leur fraternité... Tu vois?

— Je vois.

Nous nous taisons tous les deux.

Je sens qu'il en a lourd sur le cœur, comme moi, mais ce n'est pas le même poids.

— Alors, leurs copains ont organisé une petite campagne d'intimidation pour écarter Jean. Pour que nos bonnes femmes puissent garder leur misère et leur privilège de la souffrance et de l'injustice bien à elles, sans partager ça avec une vedette de cinéma. Tu vois ?

— Je vois.

— Tu comprends, quand une vedette de cinéma apparaît dans leur petit monde barricadé et assiégé, qu'est-ce qu'elle devient, là-dedans ?

— Elle devient une vedette.

— C'est ça. Tu vois le coup.

— Oui. Je vois.

— Alors, nos bonnes femmes se sont arrangées pour l'écarter... comme ça, elles restent elle-mêmes vedettes de leur négritude, de leur place forte assiégée. C'est tout.

— C'est tout. Merci.

— Allez, à un de ces jours.

— A un de ces jours. Merci.

— Qu'est-ce que tu veux, c'est comme ça.

— Oui. C'est comme ça.

On sonne à la porte.

Il est trois heures du matin. Moi qui ai besoin de mes huit heures de sommeil, j'accumule les nuits blanches... Je reste assis près du téléphone. On sonne encore. Je ne vais pas leur ouvrir. Qu'ils restent dehors, dans leur négritude bien à eux. Je vais à la porte et j'ouvre. Cette maudite curiosité, j'attends toujours quelqu'un, je ne sais pas qui.

Naturellement, ce sont eux.

Depuis *Les Racines du Ciel*, je suis devenu pour les Africains de Paris une espèce de *Foccart-Rive Gauche*.

Je les regarde sombrement. C'est un de ces moments racistes où la vue d'une peau noire me fait à peu près le même effet que la vue des peaux blanches.

On va à la cuisine où on bouffe des œufs durs. Il y a parmi eux un Américain noir de Paris du genre *creep* que je soupçonne de faire de petits rapports sur les Américains noirs de Paris pour les services spéciaux américains. Plus un poète du Tennessee qui continue sans désemparer une tirade commencée sans doute à Saint-Germain-des-Prés il y a vingt-quatre heures. Sa voix est éraillée. On a envie de lui verser de l'huile dans le gosier.

— Nous n'arriverons à rien politiquement tant que les dix-sept millions de Noirs ne seront pas représentés au sommet dans les syndicats du crime, braille-t-il entre deux œufs durs. Notre retard date du moment où le monopole du crime a été organisé en dehors de nous. Frapper à la tête de la *Cosa Nostra*, saisir les commandes...

Il s'arrête, un œuf dans la bouche, les lunettes étincelant de dialectique, sous la broussaille de ses cheveux à l'africaine qui ressemblent à des barbelés électrifiés, et pourquoi porte-t-il une écharpe de laine autour du cou, en plein mois de mai? A quatre heures du matin, après des nuits d'insomnie, l'œuf dur au milieu de ce visage d'ébène prend un aspect ahurissant.

— Qu'est-ce que tu proposes? demande le *creep*.

Je dis :

— Attention à ta réponse, Pogo. Ce salaud-là va la transmettre directement à la C.I.A.

Ils rient. Comme c'est une blague courante parmi les émigrés américains, c'est une vérité qui ne blesse pas.

— Qu'est-ce que je propose? Kidnapper les chefs italiens de la *Cosa Nostra*. Menacer les familles. Exiger la participation...

Je vois les yeux du *creep* prendre note, un crayon à la main.

On sonne.

Je vais mettre à la porte un écriteau : *Foccart-Rive Gauche*, ouvert jusqu'à deux heures. Je suis tellement fatigué que je me vois entouré d'œufs durs en train de manger des têtes noires.

Je vais ouvrir. C'est Cosso, la plus belle Malienne de Paris :

J'annonce :

— On ferme. Rentre au Mali, je t'en supplie.

— Il ne m'aime plus, m'informe-t-elle.

— Cosso, va à l'Élysée et dis-le à Foccart. Moi, je n'y peux rien.

— Il m'a dit que c'est fini. Qu'est-ce que je dois faire ?

— Va manger des œufs durs à la cuisine.

Je vais me coucher. Mais je ne peux pas dormir. Je pense à Jean. L'Amérique est un pays où tout peut arriver. Je retiens ma place dans l'avion, mais retarde mon départ lorsqu'un ami me téléphone pour m'annoncer qu'un dernier « carré » de Français libres va descendre cet après-midi les Champs-Élysées. Le dernier « carré », c'est quelque chose à quoi je n'ai jamais pu résister. J'ai horreur des majorités. Elles deviennent toujours menaçantes. On imagine donc mon désarroi lorsque, me présentant plein d'espoir sur les Champs-Élysées, je vois déferler des centaines de milliers d'hommes qui donnent une telle impression d'unanimité que j'en ai la chair de poule. Immédiatement, je me sens *contre*. Venu pour brandir le drapeau tricolore à la croix de Lorraine sous les risées en compagnie de quelques centaines d'autres irréguliers, je me sens volé. Je leur tourne le dos. Tous les déferlements démographiques, qu'ils soient de gauche ou de droite, me sont odieux.

Je suis un minoritaire-né.

XXV

J'arrive à Beverly Hills le lendemain matin et, dès que je m'approche de la porte, j'entends un miaulement désespéré. Les chats siamois ont tous des voix déchirantes, mais lorsqu'ils souffrent, cela devient atroce. La maison est vide. Couchée sur un coussin, Maï est immobile, squelettique, à côté d'une nourriture qu'elle n'a pas touchée. Elle est en train d'agoniser.

Ces enfants de pute noirs l'ont empoisonnée, comme ils ont empoisonné nos deux autres chats. Je la prends dans mes bras, et, les nuits sans sommeil aidant, je pleure de haine impuissante. Elle me parle, me regarde intensément, essaie de m'expliquer quelque chose, oui, je sais, je sais, tu n'y étais pourtant pour rien...

Je ne peux plus m'arrêter de chialer.

Je reste ainsi une heure ou deux ou trois, à haïr, et Jean me trouve, à son retour du studio, en train d'essayer de nourrir Maï au compte-gouttes. Je bondis.

— Pourquoi ne m'avais-tu pas dit qu'ils avaient empoisonné Maï? Qui protégeais-tu ainsi, exactement, les salopards ou ma sensibilité?

— Mais...

— Il n'y a pas de « mais » qui tienne. Les brutes sont

des brutes, quelle que soit la couleur de leur peau. J'en ai marre de voir des canailles traitées comme de la porcelaine de Sèvres uniquement à cause de la couleur de leur peau... C'est un chantage...

Elle pleure. Son petit visage est épuisé, elle est à bout de nerfs...

— Maï n'a pas été empoisonnée... Ça n'a rien à voir... Je l'amène à la clinique tous les jours. Le vétérinaire dit que c'est une maladie dégénérative.

— Tu veux sauver l'honneur de qui, exactement ?

— Ils ne lui ont rien fait, hurle-t-elle.

Elle s'enfuit, et j'entends la voiture qui démarre furieusement. J'ai l'impression de toucher enfin le fond de la solitude, exploit que je ne croyais pas possible. Je téléphone à Pan-Am et je retiens une place pour l'île Maurice où je crois avoir un ami, avec qui je n'ai pas correspondu depuis vingt-cinq ans. Mais Jean revient, s'assied à côté de moi, me prend la main.

Je passe les quelques journées suivantes à veiller Maï qui agonise lentement et atrocement. Katzenelenbogen vient m'expliquer d'un ton doctoral que l'on n'a pas le droit de faire un tel cas d'un chat alors que le monde entier... Je les mets à la porte tous les deux, lui et le monde. Maï est un être humain auquel je me suis attaché profondément. Tout ce qui souffre sous vos yeux est un être humain.

Elle reste couchée dans mes bras, le poil terne, sans éclat, qui lui donne un affreux air empaillé, poussant de temps en temps des miaulements que je comprends, mais auxquels je ne peux répondre. Nos cordes vocales ne nous permettent pas de nous exprimer vraiment. On peut gueuler, évidemment, hurler, mais je vous l'ai déjà dit :

seul l'Océan a la voix qu'il faut pour parler au nom de l'homme.

Que d'histoires, pour un chat, n'est-ce pas? Mais alors que faites-vous dans ce livre?

Maï meurt le 7 juin à trois heures et demie et nous allons l'enterrer dans Cherrokee Lane, sous les plus beaux arbres du monde. Elle aimait grimper aux arbres.

Je connais quelqu'un qui comprendra sûrement, je reviens à la maison et je prends mon stylo :

Cher André Malraux,

Maï, la chatte siamoise que vous avez rencontrée chez moi, est morte cet après-midi après de longues semaines de souffrances. Nous l'avons enterrée sous les eucalyptus, au coin de Beaumont Drive et de Cherrokee Lane, derrière une maison de briques rouges. Je pensais que je devais vous le dire. Voilà.

Bien fidèlement à vous,

R. G.

Vers sept heures du soir, une Chevrolet bleue s'arrête devant la maison, cependant qu'une autre voiture s'immobilise à quelques mètres derrière : deux Noirs restent au volant, cependant qu'un troisième sort et se poste en observation au milieu du trottoir. Le conducteur de la Chevrolet se dirige vers la maison. La nuit est déjà presque tombée et c'est seulement lorsque j'ouvre la porte que je reconnais Red. Il a changé à un point incroyable. Physiquement, d'abord : il s'est rasé le crâne complètement, ce qui lui donne un air vaguement mongol. Mais ce sont les yeux qui ont le plus changé. Je ne sais trop comment définir cela : les yeux ont perdu leur regard, ils sont devenus vides. C'est un regard qui ne vient de rien et qui ne va à rien. Il ne me dit pas un mot, va s'asseoir. Lorsque Jean vient le saluer, il répond par un vague *hello*.

— Est-ce que je peux passer la nuit ici?

— Bien sûr.

Il repousse le whisky que je lui sers.

— Ça risque de te causer des ennuis avec la police...

— Ça ne fait rien, il faut bien être de son temps... On peut savoir?...

— Philip a été tué.

Je pense à Maï, je comprends ce qu'il ressent.

— Il menait une patrouille chez les Viets et il s'est fait descendre.

Il regarde le mur en face.

— Il était lieutenant. Il était devenu lieutenant, pour mieux connaître le métier. Pour mieux faire son boulot, ici...

Je me tais. Il fait nuit. Une vague lumière sous les abat-jour jaunes. Jean est assise dans un coin, les mains jointes autour des genoux, la tête baissée, les épaules secouées.

Je me tais. Il ne saura jamais. Il vivra fier de son fils, ignorant jusqu'au bout que ce n'est pas le pouvoir noir qui a perdu un de ses futurs chefs révolutionnaires, mais seulement la U.S.A. Army un de ses jeunes officiers, décidé à faire carrière sous le drapeau étoilé...

— Il y a des mois qu'il ne m'avait plus écrit, il ne répondait même plus à mes lettres, et puis ça...

Il me demande, d'une voix morte :

— Comment va Ballard?

— Tu sais ce que c'est, pour un Américain, la vie à Paris?... Il se sent déraciné.

Il fait « oui » de la tête, silencieusement.

— Il n'aurait pas dû déserter, il aurait dû apprendre le métier, dit-il. Mais ce n'est pas un dur. Alors il est normal qu'un Noir soit contre la guerre au Viêt-nam et qu'il déserte...

Il se ment. Il sait que Ballard n'a pas déserté par refus de la guerre et que le Viêt-nam, il s'en fout. Il a déserté pour être avec une fille qu'il aimait, et parce qu'il avait horreur de la contrainte, de l'armée, de la discipline, des chefs, des armes à feu, de la violence, de marcher au pas, du salut au drapeau, il a déserté parce qu'il était un jeune de son temps, c'est-à-dire un insoumis, un garçon qui ne pouvait plus accepter de charger sur ses épaules le poids mort des traditions pourries.

Des lueurs jaunâtres parcourent les creux de cette peau noire et éveillent un éclat terne dans les yeux qui me rappellent le dernier regard de Maï...

Il ment, il se ment. Ils l'ont coincé dans l'irréalité. Un des meilleurs, des plus nobles Américains que je connaisse condamné à la fantasmagorie, à l'irréalité, comme un quelconque roi nègre...

Je n'en peux plus. *Je* n'en peux plus en *lui*.

— Qu'est-ce qu'ils te veulent, les flics?

— Ce qu'ils voudraient vraiment, c'est que je leur tire dessus, pour qu'ils puissent m'abattre. Ils se spécialisent dans la légitime défense. Mais à part ça, j'ai tué un mec.

En français dans le texte.

— Un flic?

— Oui... Non. Enfin, un agent provocateur noir. Ça revient au même. Les types de Kabinda sont entrés avec des mitraillettes dans une de nos réunions et ils ont abattu deux des nôtres. Des étudiants. J'en ai eu un, le lendemain.

— Vous ne pourriez pas cesser de vous entre-tuer?

— Difficile, lorsque tout le jeu de l'ennemi consiste à nous faire éliminer par nous-mêmes...

— Mais justement, alors...

— Si on ne réagit pas, le pouvoir noir tombera entièrement entre les mains des groupements dirigés par le F.B.I.

— Qu'est-ce que tu vas faire?

— Je ne sais pas. Mais je sais ce que je ne vais pas faire. Je ne vais pas quitter le pays. D'abord, parce que je n'ai pas où aller : j'ai été en Afrique, je m'y suis senti un étranger. Pas question de Castro. Je tâcherai de trouver un bon avocat, un de ceux qui savent causer de tels emmerdements à la police que celle-ci préfère vous laisser tranquille.

Sa voix se fait sourde, rentrée, elle s'intériorise à la recherche de sa rancune profonde :

— La C.I.A. veut discréditer les chefs en les acculant vers Castro, Nasser ou Pékin, et le F.B.I. cherche à nous disperser comme Cleaver, Carmichael et dix autres, en nous forçant à l'émigration... Mais, surtout, ils veulent encourager la lutte pour le pouvoir à l'intérieur du pouvoir noir afin d'empêcher l'unité et de faire disparaître les meilleurs en nous poussant à nous éliminer les uns les autres... Mais il y a encore mieux, beaucoup mieux, et c'est en train de réussir, nous tombons dans le panneau, moi le premier, parce que cette manipulation ne peut pas rater...

Sa voix gronde, il baisse la tête, ses mains énormes se nouent furieusement...

— Il s'agit de nous pousser à la surenchère dans la violence afin de pouvoir procéder à l'escalade dans la répression et, à la longue, faire pencher la balance du côté de la soumission par lassitude, désapprobation et peur dans les masses noires... par-dessus tout la manipulation vise à créer et à isoler parmi les jeunes Noirs une « génération perdue » qui se couperait des réalités et des possibilités à force d'auto-intoxication psychique... Alors, tu comprends...

Il me regarde et sourit.

— Si je ne deviens pas un tueur ou si je désapprouve le meurtre, je cesse d'être un chef aux yeux des jeunes... mais si je tue, ou approuve les assassinats, je deviens extrêmement facile à éliminer légalement... Et à quoi mène l'auto-intoxication des jeunes? Non pas au soulèvement des masses, mais à la rupture avec elles... on cherche à obtenir notre suicide... ce que je veux dire, c'est que nous sommes entièrement manipulés. Tant que la minorité noire continuera à s'acculer à la violence, la majorité blanche n'aura rien à craindre... Il n'y a qu'une solution réaliste : la conquête du pouvoir politique local par des méthodes politiques... Mais si je le dis, je suis foutu aux yeux des jeunes et je ne peux plus les sauver...

Je demande :

— Et tes cadres militaires noirs, ton « armée » ?

— C'est la seule façon pour nous de nous *discipliner*... Sans ça, c'est la dispersion dans l'anarchie terroriste... Je ne suis pas assez fou pour songer à une armée noire battue d'avance par la loi du nombre... Je parle d'organisation...

La lassitude s'empare de sa voix.

— Lorsqu'on ressent quotidiennement et profondément l'injustice, il est beaucoup plus facile de se laisser aller à l'héroïsme et au romantisme qu'à l'organisation et à la manœuvre... Le sacrifice individuel est une solution de facilité... Seulement, la jeunesse n'a jamais le temps d'attendre...

Il se lève, moi aussi.

— Je vais te montrer ta chambre.

Nous montons l'escalier.

— Qu'est-ce que je fais si la police vient?

— Je ne crois pas qu'ils viennent. Ils préfèrent garder ça en réserve contre moi. Ils espèrent que je me rendrai moins visible, c'est tout ce qu'ils demandent...

— Et tes types, dehors?

— C'est contre les petits copains.

Il hésite un peu.

— Comment elle est, cette môme?

— Bien. Très bien. L'enfant va naître dans quelques jours, je crois. Red...

... Je ne devrais pas, mais c'est un moment de vérité, et, après tout, c'est lui-même qui avait parlé d'auto-intoxication. Et je suis sûr que je ne lui apprends rien.

— Tu sais bien que c'est pour elle que Ballard a déserté. Rien d'idéologique, rien à voir avec le Viêt-nam. Une histoire d'amour. La plus vieille histoire du monde.

Il s'est arrêté devant la porte, le dos tourné vers moi.

— Je sais, dit-il.

— Et Philip...

Il se fige, attend. *Il sait.* A présent, j'en suis sûr.

Il entre et referme la porte derrière lui.

Je descends dans le salon. Jean est là, comme je l'ai quittée.

C'est assez terrible, d'aimer les bêtes. Lorsque vous voyez dans un chien un être humain, vous ne pouvez pas vous empêcher de voir un chien dans l'homme et de l'aimer.

Et vous n'arrivez jamais à accéder à la misanthropie, au désespoir. Vous n'avez jamais la paix.

Red a été abattu le 27 novembre 1968, dans une rue de Detroit. Onze balles de mitraillette tirées d'une voiture.

Ballard s'est constitué prisonnier en février 1969, six mois après la naissance de son fils.

XXVI

Je suis revenu à Beverly Hills dans la maison d'Arden quelques semaines plus tard. Il m'est impossible de rester longtemps loin de l'Amérique, parce que je ne suis pas encore assez vieux pour me désintéresser de l'avenir, de ce qui va m'arriver. L'Amérique est en train de *nous* vivre intensément, violemment, parfois ignoblement, mais face aux grandes raideurs cadavériques de l'Est, c'est un continent à l'état aigu... Quelque chose, là-bas, douloureusement, cherche à naître. C'est la seule toute-puissance de l'Histoire à se poser la question de ses crimes. Cela ne s'est jamais vu. C'est pourquoi, au plus profond de son désespoir, c'est un pays qui ne permet pas de désespérer...

J'ai revu Chien Blanc. Il me faudra vivre très vieux pour parvenir à oublier nos retrouvailles. Il faudra que mon fils grandisse, devienne un homme parmi tant d'autres hommes, enfin digne de ce nom. Il faudra que l'Amérique sorte de sa préhistoire et qu'un monde nouveau me permette enfin de mourir dans le soulagement et la gratitude de l'avoir entrevu.

Depuis mon retour, j'essaie à plusieurs reprises de joindre Keys au téléphone. Mais le disque répète de sa voix morte : « *You have reached a disconnected number.* » « Ce numéro a été déconnecté ! » Chaque fois que j'entends cette phrase, je pense à toute une jeunesse, et pas seulement américaine, aliénée, « déconnectée ».

J'appelle Jack Carruthers à son domicile, mais Keys ne travaille plus chez lui.

— *He is in business for himself...* Il s'est établi à son compte. J'ai son adresse au bureau... Attendez... C'est dans Corinne Street, derrière le terrain de football, une maison verte, à Cranton. La troisième rue à droite dans Florence Avenue...

Lloyd Katzenelenbogen, qui est venu parler affaires à Jean, ne la trouvant pas à la maison, m'offre de me conduire, il connaît le quartier. Nous descendons La Brea, roulons dans Crenshaw...

— Je suis passé par là il y a quelques semaines pour voir un film italien, *La Bataille d'Alger*, me dit Lloyd. Sur ce terrain, là-bas...

Il me montre un terrain vague qui attend la hausse des prix, à droite...

— ... Il y avait une vingtaine de gosses noirs en uniforme militaire avec des fusils de bois, qui s'entraînaient au combat de rues sous la direction d'un instructeur. Sans doute un ancien G.I. du Viêt-nam... Pendant que je regardais le film — il a été interdit en France, je crois, c'est une reconstitution dans le style néo-réaliste de la lutte héroïque des Arabes contre les oppresseurs français...

Je tique. Il n'y a aucune raison pour que les mots « oppresseurs français » me fassent tiquer, mais ça grince intérieurement. Réflexe de Pavlov. J'ai été bien dressé.

— ... Alors que je regardais le film, le même groupe est entré assez bruyamment dans la salle. Les gosses venaient là pour s'instruire. Lorsque les fellagha abattaient un soldat français dans la rue, l'instructeur leur faisait à haute voix des commentaires techniques... Chaque fois qu'un Français tombait, il y avait des rires et des applaudissements... Qu'est-ce que vous en dites?

Je le vise entre les deux yeux :

— Qu'est-ce que cela aurait été si le film avait montré la lutte héroïque des Palestiniens contre les « oppresseurs » israéliens?...

Il tique.

Nous roulons un moment dans un silence hostile.

— Je crois que c'est ici, dit Lloyd.

C'est en tout cas la seule maison verte de la rue, et il y a en effet un terrain de football un peu plus loin. Les enfants noirs nous regardent, assis sur le trottoir. J'aperçois alors une autre maison verte, de l'autre côté de la rue, légèrement en retrait. Nous sortons de la voiture.

— Demandez si Keys habite là. Moi, je vais voir en face...

Je traverse la rue.

Je tourne le dos à la première maison. Je ne sais pourquoi j'éprouve au moment où j'écris le besoin de préciser que je portais un costume de lin blanc. Peut-être à cause du vers de Victor Hugo qui a fait rire tant de lycéens :

Vêtu de probité candide et de lin blanc...

Je fais quelques pas sur le gazon, sous les platanes. Soudain, j'entends derrière moi un cri de terreur, puis un hurlement de bête, des aboiements brefs, furieux, rageurs, entrecoupés de silences, parce que le chien devait avoir la gueule pleine...

Je fais demi-tour et cours vers la maison.

Il n'y a personne dans la petite cour, mais la porte est ouverte et j'entends à présent des cris d'enfants et ce hurlement de gorge du chien à la curée...

Lloyd est par terre, le visage et les mains couverts de sang, essayant de repousser Batka dont les crocs cherchent la gorge de l'homme. Il y a de nombreux enfants dans la pièce, et le plus grand, qui ne doit pas avoir plus de cinq ans, essaie de tirer le chien par la queue, cependant qu'un autre gosse pleure d'une petite voix de greluchon. Les autres regardent, immobiles. Je me jette sur Batka, je reçois des coups de crocs comme des coups de couteaux, je me laisse tomber en jurant sur la bête qui me mord profondément au ventre... Je roule sur le plancher, accroché aux poils du chien qui cherche toujours la gorge de Lloyd et je vois Keys, en slip, debout dans l'escalier... *Il est en train de rire.*

... Combien de temps est-il resté ainsi, le sourire aux lèvres, les mains sur les hanches, en vainqueur, savourant son *égalité?*

— *Black dog!* Chien Noir!

J'entends encore ici, à Andraitx, où j'écris, seul avec l'horizon, ma voix rageuse, où je reconnais à présent l'écho de je ne sais quelle joie, de je ne sais quelle libération, comme si j'étais enfin parvenu à désespérer...

— Vous avez gagné... c'est Chien Noir, maintenant!

Batka venait sur moi. Il m'avait mordu à plusieurs reprises, mais aveuglément, dans la mêlée, alors que j'essayais de lui faire lâcher prise.

Lloyd ne se défendait même plus. Il était étendu sur le dos, inerte, les bras repliés pour se protéger le visage.

En une seconde, le chien fut sur moi. Je reçus une morsure au poignet et roulai en arrière, ma nuque heurta le mur...

J'attendais, la tête baissée, les poings en avant...

Il ne se passa rien.

Je levai la tête.

Je vis devant moi les yeux de ma mère, des yeux de chien fidèle.

Batka me regardait.

J'ai vu des camarades fauchés agoniser à côté de moi, mais lorsque je voudrai me rappeler ce que peut être une expression de désespoir, d'incompréhension et de souffrance, c'est dans ce regard de chien que j'irai le chercher.

Il leva brusquement la gueule et lança un hurlement déchirant, d'une tristesse de ténèbres.

L'instant après, il était dehors...

Lloyd était sans connaissance. On lui fera quatorze points de suture, et la perforation la plus profonde était à quelques millimètres à peine de la carotide.

Keys est immobile au-dessus de nous, dans l'escalier, et dans sa nudité il ressemble à la gigantesque figure de proue d'un vaisseau de négriers...

— ... C'est ça que vous avez voulu, que vous avez cherché, dès le début ? Que Chien Blanc devienne Chien Noir ? Vous avez gagné, bravo ! Et merci... Comme ça, au moins, nous ne sommes pas seuls à nous déshonorer !

— *Yeah, we've learned a few things from you alright*, dit-il. Oui, nous avons appris de vous pas mal de choses. *Now, we can even do the teaching*... A présent, nous pouvons même vous donner des leçons...

Le choc et l'épuisement nerveux se muent en moi en une rancune enfantine par sa démesure. Je me souviens aussi que je me disais, en regardant l'homme noir : c'est nous, c'est nous, c'est nous... Je ne sais plus très bien ce que j'entendais par là. Peut-être : c'est nous qui l'avons dressé...

Et ce n'est pas du tout cela que je lui dis. C'est parti tout seul, du fond de ma rancune, et il n'a pas manqué, le malin, de relever l'emphase de cette phrase que justifiait pourtant ma totale sincérité...

— Écoutez-moi, Keys... Des Noirs comme vous, qui trahissent leurs frères en nous rejoignant dans la haine, perdent la seule bataille qui vaille la peine d'être gagnée...

Il rit silencieusement.

— Je sais que vous êtes un écrivain connu, monsieur.

— Oh, ça va. Chien Blanc, Chien Noir, c'est tout ce que vous connaissez?

— *Well, we've got to begin somewhere,* dit-il. Il faut bien commencer par le commencement...

— L'égalité dans la chiennerie?

— Légitime défense, c'est comme ça que ça s'appelle...

— C'est tout de même triste lorsque les Juifs se mettent à rêver d'une Gestapo juive et les Noirs d'un Ku-Klux-Klan noir...

Son visage prend une expression d'extraordinaire fierté. Sa voix se libère, s'enfle, gronde, je ne la reconnais plus. C'est la première fois que je le vois sortir de lui-même, manifester soudain des siècles de rancune accumulée...

— Ils nous ont tué vingt frères cette année. On se défend, c'est tout. Mon boulot, c'est de dresser des chiens *à nous*. Pas des chiens de garde. Des chiens d'attaque. Alors, vous verrez...

J'entends les sirènes de la police et de l'ambulance et je revois encore le visage de Lloyd sur le brancard, ses yeux stupéfaits, agrandis par l'horreur, et je regarde Keys pour la dernière fois...

— Dommage. Vous êtes en train de rater la seule vraie chance du peuple noir : celle d'être différent. Vous vous donnez beaucoup trop de mal pour nous ressembler. Vous nous faites trop d'honneur. Nous avons si bien fait les choses que même si notre engeance disparaissait totalement, il n'y aurait rien de changé...

Il se marre. Ces dents!

— *That may well be, but let it not stop you from vanishing,* me dit-il. Ça se peut, mais que cela ne vous empêche surtout pas de disparaître...

Les flics nous écoutent sans rien comprendre. Ils veulent savoir si le chien a été vacciné contre la rage. Je leur dis qu'il n'y a pas encore de vaccin pour ça...

Il courait à travers la ville et sur son chemin les voitures de police se passaient ce message : « Watch out for a mad dog. » « *Attention! Chien enragé...* » *Il y avait dans ses yeux toute l'incompréhension et toute la détresse du croyant que son Dieu d'amour a trahi. Au coin de La Cienega et de Santa Monica, la voiture de police du sergent John L. Sallem chercha à l'écraser, mais le manqua. Il était à ce moment-là presque arrivé. Il n'y avait plus que deux cents mètres à faire jusqu'à Arden...*

Je l'ai trouvé dans les bras de Jean, vingt minutes plus tard. Il n'y avait pas trace de blessures sur son corps. Il s'était roulé en boule devant notre porte et il était mort.

Je suis resté à la clinique quinze jours, dont deux jours et trois nuits de sommeil drogué.

Il y avait cependant des moments crépusculaires où des pensées se reformaient dans ma tête, et aussitôt se mettait à triompher de moi cet espoir invincible qui me pousse à voir dans toutes nos batailles perdues le prix de nos victoires futures.

Je ne suis pas découragé. Mais mon amour excessif de la vie rend mes rapports avec elle très difficiles, comme il est difficile d'aimer une femme que l'on ne peut ni aider, ni changer, ni quitter.

Lorsque je me suis réveillé pour la première fois, j'ai vu Jean — mais je la vois souvent même lorsqu'elle n'est pas là — et puis, le temps d'un sourire, ce fut à nouveau une plongée dans l'oubli.

Le lendemain matin, il y avait toujours Jean, mais il y avait aussi Madeleine, avec son enfant : François, Gaston, Claude. Je ne sais pas ce que ça donnera en Amérique.

— Comment va Ballard?

— Vous savez qu'il s'est constitué prisonnier?

— Je sais.

— Il va être jugé bientôt... Il risque d'avoir cinq ans.

— Et vous, Madeleine?

— Il faudra bien qu'ils me le rendent un jour...

La voix est calme, assurée. La voix des certitudes. Je pense à la cathédrale de Chartres, je ne sais pourquoi.

— Je vais me trouver du travail...

Elle sourit. Je souris, moi aussi. La facilité...

Mais c'est un tel soulagement que de pouvoir enfin respecter quelqu'un...

— J'attends simplement de savoir dans quelle ville, pour être près de lui. J'ai droit à deux visites par semaine...

Nigger-lover. Nigger-lover.

Andraitx, septembre 1969.

Ce volume,
le deux cent soixante-dixième de la collection Soleil,
a été réimprimé à mille cent exemplaires
numérotés de B 1 à B 1100
sur bouffant alfa Calypso
des Papeteries Libert
par l'Imprimerie Floch à Mayenne.
La reliure a été exécutée par Babouot à Paris
d'après la maquette de Massin.

EXEMPLAIRE B 132

N° d'édition : 15650; dépôt légal : 1er trim. 1971; imprimé en France.
(10115)